中級から学ぶ日本語 三訂版

ワークブック

テーマ別

[監修] 松田浩志

[著] 亀田美保　惟任将彦　安本博司　山田勇人

KENKYUSHA

目　　次

『ワークブック』を使っていただく先生方へ　　v
CDトラック番号一覧　　ix

第 1 課　まなぶ………………………………………………………………1
第 2 課　みつける……………………………………………………………7
第 3 課　たべる………………………………………………………………13
第 4 課　たとえる……………………………………………………………19
第 5 課　あきれる……………………………………………………………25
第 6 課　つたえる……………………………………………………………31
第 7 課　かざる………………………………………………………………37
第 8 課　おもいこむ…………………………………………………………43
第 9 課　まもる………………………………………………………………49
第10課　なれる………………………………………………………………55
第11課　つながる……………………………………………………………61
第12課　わける………………………………………………………………67
第13課　おもいだす…………………………………………………………73
第14課　みなおす……………………………………………………………79
第15課　ふれあう……………………………………………………………85
第16課　うたう………………………………………………………………91
第17課　なおす………………………………………………………………97
第18課　はなれる……………………………………………………………103
第19課　かなえる……………………………………………………………109
第20課　おぼえる……………………………………………………………115

『ワークブック』を使っていただく先生方へ

1. 改訂のねらい

　『テーマ別　中級から学ぶ日本語　ワークブック』（以下、『ワーク』）は、大幅に改訂された『テーマ別　中級から学ぶ日本語（三訂版）』（以下、『中級』）の出版を機に、それに基づいて従来の『ワーク』にはなかったような練習問題を付すなどして、『中級』との補完関係をより明確にした教材です。

　大きな改革点は、従来の〈聴解Ⅰ〉〈聴解Ⅱ〉〈速読〉を、それぞれ〈聞きましょうA〉〈聞きましょうB〉〈読んでみましょう〉という名称に変え、そのほとんどを『中級』各課のテーマとより明確なつながりを持たせるよう書き換えた点です。また、〈練習しましょう〉を加え、各課の新出漢字・語彙・文法項目の練習を補うことによって、復習教材としての性格をいっそう明確にした点です。全体の構成とねらいは以下の通りです。

2. 各セクションの構成とねらい

🔊 聞きましょうA

練習のねらい：
会話を聞いて情報を聞き取る、いわゆる聴解力を伸ばすのと同時に、会話でよく用いられる口頭表現や縮約形を理解することを目的としています。

練習の形式：
会話の長さは、1～7課までが500～600字程度、8課以降は600～670字程度になっています。問題Ⅰは、聞き取った内容が把握できているかどうかを確認する問題、問題Ⅱは、ディクテーション問題になっています。書き込みの部分は、会話などで用いられる口頭表現、及び『中級』の当該課で提示されている語彙や表現が出てくる箇所が中心になっています。（なお、紙幅の都合で、書き込み部分の長さが実際の解答より短い場合もありますので、ご注意ください。以下の〈聞きましょうB〉〈練習しましょう〉の記入欄についても同様です。）

練習の進め方：
（1）会話を聞いて、どんな人が、どのような状況で、何をテーマに話しているのかを理解します。
（2）会話は、1回で十分に情報が聞き取れない場合は、もう一度聞いても良いでしょう。

CDを聞く際には、最初は問題Ⅱの部分を見せず、書き込みを行わないようにしてください。
(3) 問題Ⅰの解答を確認後、再度CDを聞いて、問題Ⅱの書き込みを行います。書き込み部分には、よく使われる口頭表現や縮約形などが含まれていますので、最後にこれらの表現を取り上げ、練習しても良いでしょう。

🔊 聞きましょうB

練習のねらい：
〈聞きましょうA〉よりもややフォーマルな説明や、公の場での話、講演などを聞いて情報を聞き取り、理解することを目的としています。また、そのために必要な学習スキルとして、求められる情報を聞き取り、ノートを取ること（ノートテーキング）、ノートを見ながら、文を再構築し、内容をまとめること（ディクトグロス）を練習に取り入れ、これらの学習スキルを高めることを目指します。

練習の形式：
聞き取り部分と設問Ⅰ，Ⅱからなります。聞き取り部分の長さは、1～10課までが550～650字程度の3段落、11～20課が700～800字程度の4段落の構成になっています。問題Ⅰは、聞き取り部分の構成に合わせて、1～10課が3問、11～20課が4問となっており、原則として、各段落の要点を問う設問になっています。問題Ⅱは、ノートを見ながら文を再構築する練習です。問題Ⅰで問われた内容について、さらに詳しい情報をまとめます。

練習の進め方：
(1) CDを聞く前に、問題Ⅰに目を通し、あらかじめ聞く内容について推測します。そして、これらの点を中心にノートを取るよう指示します。
(2) CD音声の冒頭には、語られる内容についての簡単な導入部分があります。それを聞いて、これからどんな人が何をテーマに話すのかを理解します。
(3) CDを聞いて、ノートを取ります。必要であれば、1回目はただ聞くだけ、2回目はノートを取るなど、学習者の聞き取りの力に合わせて工夫すると良いでしょう。また、1回で十分に情報が聞き取れない場合は、もう1度聞いても良いでしょう。CDを聞く際には、最初は問題Ⅱの部分を見せず、書き込みを行わないようにし、後で時間を与えます。
(4) ノートを見ながら、問題Ⅱの下線部分の文完成を行います。答えは、内容が合っていれば、CDで聞いた文の通りでなくてもかまいません。時間があれば、聞いて理解した内容の要約を書かせるのも良い練習になると考えられます。

読んでみましょう

練習のねらい:
従来の〈速読〉と同様、まとまりのある文を読んで、読むことへの抵抗感をなくし、概要を理解すること、読むスピードを高め、要点を的確にとらえる力を養うこと、各課で学んだ新規学習項目が理解できているかどうかを自己確認し、達成感を持てるようになることを目指す練習です。『中級』各課のテーマを、〈読みましょう〉とは違う側面から考えられるような内容、〈読みましょう〉にある情報をさらに補充するような内容になっています。

練習の形式:
〈読んでみましょう〉本文と問題Ⅰ, Ⅱで構成されています。本文は、当該課の新規学習項目を含む既習の語彙と表現のみで書かれていて、1~10課までは3段落構成で600~700字程度、11課以降は4段落構成で800字程度としています。問題Ⅰは内容の理解を確認するための正誤問題で、10課までは6問、11課以降は8問になっています。問題Ⅱは要点についての記述問題になっており、10課までは3問、11課以降は4問で構成しています。

練習の進め方:
(1) 学習者に合わせて、5~7分程度と時間を決めて、時間に余裕がある場合も、内容がつかめるまで何度も読むよう指示します。その際、後の正誤問題は見ないことを徹底します。
(2) 全員が読めた時点で、次ページの問題Ⅰを行います。その際、本文を見ずに解答するよう指示します。
(3) 全員が解答を終えたら、答えをチェックしながら、要点を確認します。必要に応じて、再度本文に目を通しても良いでしょう。
(4) 最後に、問題Ⅱを行います。必要に応じて、口頭練習をしてから書く練習をすると良いでしょう。また、宿題にしても良いと思います。

練習しましょう

練習のねらい:
新規学習項目を既習項目と組み合わせ、豊富な練習問題を通して繰り返し使用することによって、学習者が、学習項目が身についているかどうかを自己確認することを目指します。

練習の形式：

以下の5種類の練習問題からなっています。基本的には自宅での使用を想定していますが、課の最後に復習として使用することも可能です。

Ⅰ．「漢字の練習」では、各課の新出漢字の読み方と書き方を練習します。『中級』〈漢字を練習しましょう〉Ａに含まれる漢字は、読み方と書き方の両方が練習対象となり、Ｂに含まれる漢字は、読み方のみが練習対象となります。

Ⅱ．「慣用表現・副詞の練習」は、各課で新しく学習した慣用表現と、副詞(的表現)を短文の意味を理解しながら練習する問題です。

Ⅲ．「助詞の練習」では、助詞(の・を・に・まで・が・より・から・で・へ・と)を正しく使えるようになるための練習をします。各課の新出語彙・表現を使った文で練習します。

Ⅳ．「活用の練習」は、動詞、形容詞の活用の練習をします。

Ⅴ．「文を作る練習」では、2文を1文にする練習や、類似表現への書き換え練習などを行います。また、初級学習項目の応用練習や、『中級』〈使いましょう〉では取り上げられなかった表現の練習も行います。

練習の進め方：

(1) 「文を作る練習」では、まず、練習の最初にある例文にしたがって解答文を書きます。

(2) 複数の解答文が考えられる練習では、学習者の能力に応じて、いくつかの文を書かせるようにすると良いでしょう。

(3) 学習者のレベルに応じて、ここでの問題を基にして、より自由に文を作る練習をするのも、作文の力を伸ばす良い方法だと思います。

CD トラック番号一覧

Disk 1

01: 第 1 課　聞きましょう A（会話）
02: 第 1 課　聞きましょう A（質問）
03: 第 1 課　聞きましょう B
04: 第 2 課　聞きましょう A（会話）
05: 第 2 課　聞きましょう A（質問）
06: 第 2 課　聞きましょう B
07: 第 3 課　聞きましょう A（会話）
08: 第 3 課　聞きましょう A（質問）
09: 第 3 課　聞きましょう B
10: 第 4 課　聞きましょう A（会話）
11: 第 4 課　聞きましょう A（質問）
12: 第 4 課　聞きましょう B
13: 第 5 課　聞きましょう A（会話）
14: 第 5 課　聞きましょう A（質問）
15: 第 5 課　聞きましょう B
16: 第 6 課　聞きましょう A（会話）
17: 第 6 課　聞きましょう A（質問）
18: 第 6 課　聞きましょう B
19: 第 7 課　聞きましょう A（会話）
20: 第 7 課　聞きましょう A（質問）
21: 第 7 課　聞きましょう B
22: 第 8 課　聞きましょう A（会話）
23: 第 8 課　聞きましょう A（質問）
24: 第 8 課　聞きましょう B
25: 第 9 課　聞きましょう A（会話）
26: 第 9 課　聞きましょう A（質問）
27: 第 9 課　聞きましょう B
28: 第 10 課　聞きましょう A（会話）
29: 第 10 課　聞きましょう A（質問）
30: 第 10 課　聞きましょう B

Disk 2

01: 第 11 課　聞きましょう A（会話）
02: 第 11 課　聞きましょう A（質問）
03: 第 11 課　聞きましょう B
04: 第 12 課　聞きましょう A（会話）
05: 第 12 課　聞きましょう A（質問）
06: 第 12 課　聞きましょう B
07: 第 13 課　聞きましょう A（会話）
08: 第 13 課　聞きましょう A（質問）
09: 第 13 課　聞きましょう B
10: 第 14 課　聞きましょう A（会話）
11: 第 14 課　聞きましょう A（質問）
12: 第 14 課　聞きましょう B
13: 第 15 課　聞きましょう A（会話）
14: 第 15 課　聞きましょう A（質問）
15: 第 15 課　聞きましょう B
16: 第 16 課　聞きましょう A（会話）
17: 第 16 課　聞きましょう A（質問）
18: 第 16 課　聞きましょう B
19: 第 17 課　聞きましょう A（会話）
20: 第 17 課　聞きましょう A（質問）
21: 第 17 課　聞きましょう B
22: 第 18 課　聞きましょう A（会話）
23: 第 18 課　聞きましょう A（質問）
24: 第 18 課　聞きましょう B
25: 第 19 課　聞きましょう A（会話）
26: 第 19 課　聞きましょう A（質問）
27: 第 19 課　聞きましょう B
28: 第 20 課　聞きましょう A（会話）
29: 第 20 課　聞きましょう A（質問）
30: 第 20 課　聞きましょう B

第1課

まなぶ

🔊 聞きましょう A   Disk 1 01, 02

I. 会話を聞いて、質問に答えてください。

1. (   ) 2. (   ) 3. (   ) 4. (   ) 5. (   )

II. もう一度聞いて、書いてください。

A：あ、たかこさん。お買い物。

B：うん。スーパー、こんでてたいへんだった。

A：この時間はいつもこんでるよね。ねえ、りょうちゃん、①＿＿＿＿＿＿＿＿＿＿、＿＿＿＿＿＿＿＿＿＿＿＿＿＿。

B：まあね。②＿＿＿＿＿＿＿＿＿＿＿＿＿＿＿＿＿＿＿＿＿＿＿ことはあるけど…。③＿＿＿＿＿＿＿＿＿＿＿＿＿＿＿＿＿＿＿。あまり何も言わないようにしてるの。

A：うちのゆうきね、④＿＿＿＿＿＿＿＿＿＿＿＿＿＿＿＿。これまで勉強したことないから、⑤＿＿＿＿＿＿＿＿＿＿＿＿＿＿＿＿。

B：りょうも初めて。⑥＿＿＿＿＿＿＿＿＿＿＿＿＿＿＿＿＿＿＿＿＿＿。

A：ゆうきも⑦＿＿＿＿＿＿＿＿＿＿＿＿＿＿＿＿、しゅじんがね…。

B：ごしゅじんがどうしたの。

A：そんなに小さいときから英語勉強しなくてもいいって。あまり英語、英語って言って、⑧＿＿＿＿＿＿＿＿＿＿＿＿＿＿＿＿＿＿。

B：そうね。うちは、親ができないから、⑨＿＿＿＿＿＿＿＿＿＿＿＿＿＿＿＿、＿＿＿＿＿＿＿＿＿＿＿＿＿＿＿＿って言ってたけど。

A：私もそう思うけど…。

B：それでも、今は楽しくやってるようだから…。

A：ゆうきも、⑩＿＿＿＿＿＿＿＿＿、＿＿＿＿＿＿＿＿＿＿。

B：楽しく勉強して、英語が話せるようになってくれると一番だけどね。

A：そうね。あ、そろそろ行くね。じゃ、また。

第1課

聞きましょうB　　　　　　　　　　　　　　　　Disk 1 03

Ⅰ. 質問に答えられるように、ノートを取りながら、聞いてください。

1. 話している人は、どうして日本語を勉強するようになりましたか。
2. 日本語の勉強を始めて、おもしろいと思ったのはどんなことですか。
3. 外国語を勉強することをどのように思っていますか。

Ⅱ. ノートを見ながら、書いてください。

1. 日本語の勉強
   - 父に、＿＿＿＿＿＿＿＿＿＿＿＿＿＿＿＿＿＿＿＿＿＿＿＿＿＿＿＿＿と言われ、勉強を始めることになった。
   - 日本語の勉強は初めはいやだったが、＿＿＿＿＿＿＿＿＿＿＿＿＿＿＿ので、楽しくなってきた。

2. おもしろいと思ったこと
   - 日本語ではどうして＿＿＿＿＿＿＿＿＿＿＿＿＿＿＿＿＿＿＿＿＿＿＿のだろうと思った。
   - 日本語を話す人たちは、人や動物を見るときは、物を見るときとは、＿＿＿＿＿＿＿＿＿＿＿＿＿＿＿＿＿＿＿＿＿＿＿＿＿と思った。

3. わかったこと
   - りゅうがくしているときに、言葉の勉強は＿＿＿＿＿＿＿＿＿＿＿＿＿＿＿とわかった。
   - 今も勉強しているのは、外国語の勉強が＿＿＿＿＿＿＿＿＿＿＿＿＿＿＿＿＿＿＿＿＿＿＿＿＿＿＿＿＿＿とわかったからだ。

練習しましょう

Ⅰ. ひらがなは漢字にして、漢字は読み方を書いてください。

1. 日本で勉強を①はじめたとき、②はじめは言葉や③ぶんかのちがいにこまりました。
   ①（　　　　）②（　　　　）③（　　　　）

2. ④こどもがかぜを引かないか⑤しんぱいで、何度も手を⑥あらいなさいと言っています。
   ④（　　　　）⑤（　　　　）⑥（　　　　）

3. ⑦わたしが英語を教える⑧あいては、小学生の⑨せいとなのですが、最近は、自分もいっしょに勉強したいと言ってくる⑩おやも多いです。
   ⑦(　　　　) ⑧(　　　　) ⑨(　　　　) ⑩(　　　　)

4. ⑪お父さんと⑫お母さんに「おやすみなさい」と言って、⑬寝ました。
   ⑪(　　　　) ⑫(　　　　) ⑬(　　　　)

5. ⑭今日は⑮歯が痛くて、ごはんを食べるのは⑯難しいので、何も食べずにいます。
   ⑭(　　　　) ⑮(　　　　) ⑯(　　　　)

6. 外国語を⑰学んでも、ここでは使う⑱場面がありませんし、話す人もいません。
   ⑰(　　　　) ⑱(　　　　)

II. (　)の中に言葉を入れて、文を作ってください。

1. 弟が外国へ行くことになるとは思いも(　　　　)でした。
2. 父に言われてから、おとなの話には口を(　　　　)なくなりました。
3. 父はいそがしいのに、仕事の(　　　　)を止めて、私の話を聞いてくれた。
4. 初めは(　　　　)が、今は500メートルも泳げるようになりました。
5. お酒を飲むと、みんなは口々に仕事のことを(　　　　)始めた。

III. (　)に助詞を書いてください。「は」「も」は使えません。

1. 私は母(　　)言われて、朝とばん、歯(　　)みがいています。
2. 大学生の間に外国に行って、今まで(　　)広い世界を知りたいと思います。
3. かんたんなたいそうをするので、みんな足(　　)広げて立ってください。
4. 最近は、小学校へ入る前(　　)子供(　　)外国語の勉強(　　)させる親が多い。
5. 言ってはいけないことを言って、友だち(　　)いやがられてしまった。

IV. 【　】の言葉を正しい形にして、(　)に入れてください。

1. 私は卒業するとき、先生が(　　　　)ことを今でもよくおぼえています。【言う】
2. 夏休みになったら、友だちと海に(　　　　)り、スポーツを(　　　　)りしたい。【行く】【する】
3. 友だちに聞いたんだけど、日本では、12月31日におそばを(　　　　)んだって。【食べる】
4. 英語の時間に、親が子供になぞなぞを言う場面が(　　　　)きた。【出る】
5. ある日、子供が「お母さんは英語が話せるの」と(　　　　)きた。【聞く】

V. 例のように、ふたつの文をひとつにしてください。

例
子供は何を言っていますか。私はよくわかりませんでした。
⇒私は、子供が何を言っている（の）か、よくわかりませんでした。

1. 次は子供がどんな話をしてくれるのだろうか。私は楽しみにするようになりました。
   ⇒私は、＿＿＿＿＿＿＿＿＿＿＿＿＿＿か、＿＿＿＿＿＿＿＿＿＿＿＿＿＿＿＿。

2. 先生はどんな説明をされましたか。私は聞いていませんでした。
   ⇒私は、＿＿＿＿＿＿＿＿＿＿＿＿＿＿か、＿＿＿＿＿＿＿＿＿＿＿＿＿＿＿＿。

3. 外国の子供はどうして寝る前に顔を洗うのですか。私はよくわかりませんでした。
   ⇒私は、＿＿＿＿＿＿＿＿＿＿＿＿＿＿か、＿＿＿＿＿＿＿＿＿＿＿＿＿＿＿＿。

4. 日本語のじょうずな人はどんな勉強をしているのだろうか。私は知りたいと思いました。
   ⇒私は、＿＿＿＿＿＿＿＿＿＿＿＿＿＿か、＿＿＿＿＿＿＿＿＿＿＿＿＿＿＿＿。

5. 日本人は自分たちの文化をどう思っているのだろうか。私は友だちに聞いてみました。
   ⇒私は、＿＿＿＿＿＿＿＿＿＿＿＿＿＿か、＿＿＿＿＿＿＿＿＿＿＿＿＿＿＿＿。

読んでみましょう

どっちが大切

　小学校で英語を教えることには、いろいろな意見があります。日本には英語が話せる人が少ない。早くから勉強しておけば、仕事で英語を使う場面になっても、それができるようになる。そう考える人たちは、子供のときから英語を始めることが大切だと言います。そして、英語といっしょにちがう文化も学んで、ものの見方を広げることも大切だと言います。

　そうではない。英語を教える前に、まず日本語だ。日本語で正しく話したり、書いたりできなくてはいけない。言葉がどんなものか、言葉を使って相手にわかってもらえるように、自分の言いたいことを言ったり書いたりするのにはどうすればいいか、初めにそれを日本語で学んでおかなければ、英語も正しく学べない。小学校から英語を教えると、日本語も英語もできなくなってしまうと心配する意見もあります。

　いろいろな意見がありますが、それでも、日本では、小学校から英語のじゅぎょうが始められることになりました。大切なことは、子供たちが英語の勉強を楽しみにして、勉強しようと自分から思うことです。親がいろいろ考えて、勉強したくない子供に勉強させ、英語がきらいな子供が出てくるようなことになれば、小学校で英語を勉強することには意味がなくなるでしょう。

I. 上の文を読んで、正しいと思う文に〇をつけてください。

1. （　）日本には英語を使える人がたくさんいる。
2. （　）英語の勉強は早くから始めなければならないという意見がある。
3. （　）英語を学べば、ものの見方を広げることになるという意見がある。
4. （　）日本語ができなければ、英語もできないという心配もある。
5. （　）子供が自分から勉強しようと思うことが大切だ。
6. （　）英語がきらいな子供がおおぜいいるので、英語の勉強は意味がない。

II. 次の質問に答えてください。

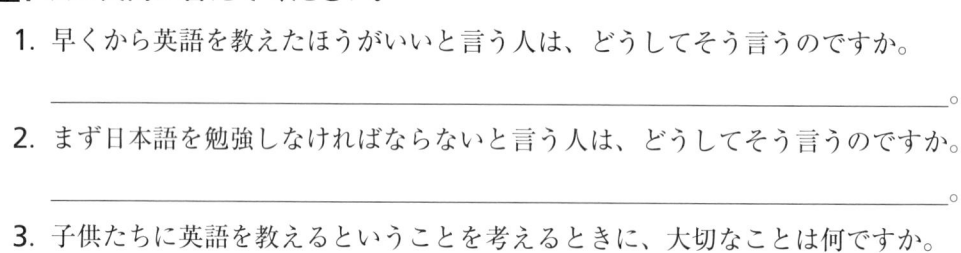

1. 早くから英語を教えたほうがいいと言う人は、どうしてそう言うのですか。
   _____。

2. まず日本語を勉強しなければならないと言う人は、どうしてそう言うのですか。
   _____。

3. 子供たちに英語を教えるということを考えるときに、大切なことは何ですか。
   _____。

第2課 みつける

聞きましょうA　　　　　　　　　　　　　　Disk 1 04, 05

Ⅰ. 会話を聞いて、質問に答えてください。

1. (　　　)　2. (　　　)　3. (　　　)　4. (　　　)　5. (　　　)

Ⅱ. もう一度聞いて、書いてください。

A：ほら見て。けいた、①＿＿＿＿＿＿＿＿＿＿＿＿＿＿＿＿＿＿。自分の行きたい所があって、そこに着くと、私の顔見てにっこりするの。②＿＿＿＿＿＿＿＿＿＿＿＿＿＿＿＿＿＿＿＿＿。

B：ほんとだ。けいた、こっち、こっち。

A：あ、あぶない。いつも動いてるんだから、よく見ててね。③＿＿＿＿＿＿＿＿＿＿＿＿＿＿＿＿＿＿＿＿＿＿＿。

B：わかったよ。今日は天気もいいし、けいたと公園へでも行ってみようか。

A：④＿＿＿＿＿＿、＿＿＿＿＿＿＿。小さな子供に当たったりしたらどうするの。

B：でも、けいたも、⑤＿＿＿＿＿＿＿＿＿＿＿＿＿＿＿＿＿＿＿＿。

A：それはそうだけど、心配なの。

B：⑥＿＿＿＿＿＿＿＿＿＿＿＿、＿＿＿＿＿＿＿＿＿＿＿＿＿、楽しいと思うよ。そうして、⑦＿＿＿＿＿＿＿＿＿＿＿＿＿＿＿＿＿＿、子供って。

A：歩いて学ぶの。

B：つくえの上にあがろうとするのも意味があるんだよ。⑧＿＿＿＿＿＿＿＿＿＿＿＿＿＿＿＿＿＿＿。それがおもしろいんだ。

A：わかるけど…。でも、わかっていながら、「あぶない」って、止めてしまうの。

B：いつもけいたの横にはいられないから、それもわかるけどな。でも、ときどきはけいたと同じ気持ちになって、⑨＿＿＿＿＿＿＿＿＿＿＿＿＿＿＿＿＿＿。

A：そうね。今日は⑩＿＿＿＿＿＿＿＿＿＿、＿＿＿＿＿＿＿＿＿＿、公園へ行くことにしようかな。

B：けいたといっしょに新しい世界を学ぶ日、それもいいね。

第2課

聞きましょうB Disk 1 06

Ⅰ. 質問に答えられるように、ノートを取りながら、聞いてください。

1. 話している人は子供のとき、何が見えましたか。
2. どうしてそれが見えるのだと言っていますか。
3. 今、町を歩いて、何をしていますか。

Ⅱ. ノートを見ながら、書いてください。

1. 子供のときに見えた物
   ◆子供のとき、いろいろな物が＿＿＿＿＿＿＿＿＿＿＿＿＿＿＿＿＿＿＿＿。
   ◆そんなときは、＿＿＿＿＿＿＿＿＿＿＿＿＿＿たり、勉強の手を止めたりした。
   ◆＿＿＿＿＿＿＿＿＿＿＿＿＿＿＿＿＿＿＿のは、この人だけではない。

2. どうして顔に見えるのか
   ◆＿＿＿＿＿＿＿＿＿＿＿＿＿＿＿＿＿＿＿ので、人は生まれたときから注意して相手の顔を見る。
   ◆それで、人の顔でない物の中にも＿＿＿＿＿＿＿＿＿＿＿＿＿＿＿＿＿＿そうだ。

3. 町の中の「顔」
   ◆話している人は、町を歩いて、＿＿＿＿＿＿＿＿＿＿＿＿＿＿＿＿＿ことにした。
   ◆顔をさがしてみれば、＿＿＿＿＿＿＿＿＿＿＿＿＿＿＿＿＿。

練習しましょう

Ⅰ. ひらがなは漢字にして、漢字は読み方を書いてください。

1. 学校は家からバスに①のって5分の②べんりな所にある。
   ① (　　　　) ② (　　　　)

2. テレビを見て③わらっている④ともだちの横で勉強するのは気が⑤すすまなかったが、宿題だけはやった。
   ③ (　　　　) ④ (　　　　) ⑤ (　　　　)

3. 弟は毎日⑥つかれるまで⑦あそんで勉強しないので、母は⑧こまっています。
   ⑥ (　　　　) ⑦ (　　　　) ⑧ (　　　　)

4. 学校へ⑨通う道で会った人には⑩会釈することにしています。
   ⑨ (　　　　) ⑩ (　　　　)

5. 春になると、公園の池の⑪周りにいろいろな花が⑫咲くので、毎年その⑬景色を楽しみにしています。
　⑪（　　　　）⑫（　　　　　）⑬（　　　　　）

6. 試験の会場は、よく⑭宣伝をしている会社の⑮横だと聞いていたので、そっちの⑯方向に⑰見当をつけて歩いた。
　⑭（　　　　）⑮（　　　　　）⑯（　　　　　）⑰（　　　　）

II.（　）の中に言葉を入れて、文を作ってください。

1. ここは、前とはずいぶんちがっていて、その建物がどこにあるのか見当も（　　　　）。
2. 外国へ行くのはあまり気が（　　　　）が、妻や子供が行きたがるので、行くことにした。
3. 「だれか助けて」という声が（　　　　）に入ったので、急いでそちらへ行った。
4. 父親は子供に「にっこり（　　　　）」と言いながら、写真をとっていた。
5. この仕事はみなさんが思っているほど（　　　　）ではありませんよ。

III.（　）に助詞を書いてください。「は」「も」は使えません。

1. 友達（　）来た手紙（　）は、切手（　）はってありませんでした。
2. 最近テレビ（　）よく見るサッカー選手を町（　）見ました。
3. 山の中で道（　）まようといけないので、あまり遠く（　）行かないことにした。
4. 初めは歩いていましたが、毎日バス（　　）乗って学校へ行くようになりました。
5. 写真ではなく、じっさいにこの目（　）見て、「これ（　）そうか」と思いました。

IV.【　】の言葉を正しい形にして、（　）に入れてください。

1. みんなで日本の料理を（　　　　）みたことがあります。【作る】
2. 田中さんが（　　　　）かと心配でしたが、来たので良かったです。【来る】
3. このなぞなぞの答えは、ジョンさんに（　　　　）ば教えてくれますよ。【聞く】
4. この間行った公園には、花がたくさん（　　　　）いました。【咲く】
5. ふたつ先の駅で事故があり、電車が動いていないという話を聞いて、（　　　　）なと思いました。【困る】

第2課

V.「～たり、～たりして、～」という形を練習しましょう。

> **例**
> きのう遊びに行った所は、遠くに山が見えたり、たくさん花が咲いていたりして、とてもきれいだった。

1. 先月行った旅行は、＿＿＿＿＿＿＿＿たり、＿＿＿＿＿＿＿＿たりして、とても楽しかった。
2. 休みの日も、＿＿＿＿＿＿＿＿たり、＿＿＿＿＿＿＿＿たりして、いそがしい。
3. 漢字は＿＿＿＿＿＿＿＿たり、＿＿＿＿＿＿＿＿たりして勉強するといい。
4. 自分で作った料理は、＿＿＿＿＿＿＿＿たり、＿＿＿＿＿＿＿＿たりして、あまりおいしくない。
5. 子供のほしがる物は、＿＿＿＿＿＿＿＿たり、＿＿＿＿＿＿＿＿たりして、いつも同じではない。

読んでみましょう

空がおみやげ

　言葉もできないし、気が進まないと言っていた友達が、初めて外国へ行った。この間会ったときに、「どうだった」とたずねたら、「外国へ来た」とはあまり思わなかったそうだ。有名な所へ行ったり、そこでしか食べられない料理を食べたりしたけれど、テレビや写真で見ていたので、「あれか」と思っただけだと言う。その友達が「それでも」と言ってこんな話をした。

　「空を見つけた」と言うのだ。行った所は、交通機関が便利ではなかったので、どこかへ行くときは、まようこともあったけれど、歩くことにしていた。高い建物が少なく、前を見ても、横を見ても、先の方まで空が見える。朝早くおきて、「海は、だいたいこっちの方向か」と見当をつけて歩いていると、遠くの方から空がオレンジ色になってきた。道や建物がオレンジ色になるのを見ながら、自分もオレンジ色になるのかなと思ったと言う。夜、とまっていたホテルを出てみると、広い空には、星がたくさん出ていた。いつもとはちがう世界へ来たように思ったそうだ。

　学生時代にどこかで読んだ、「東京には空がない。本当の空が見たい」と書いた人の気持ちがよくわかった。どこまでも続く広い空を見てよくわかったと言って、にっこりする友達は、あまり見せたことのない顔をしていた。私は、友達が初めての外国旅行で、テレビや写真ではしょうかいされることのないもの、「見つけた空」をおみやげに持って帰ってきてくれたと思いながら、話を聞いた。

第2課

I. 上の文を読んで、正しいと思う文に〇をつけてください。
1. (　) 友達は初めての外国旅行が少しも楽しくなかった。
2. (　) 友達は外国で見た空の話をしてくれた。
3. (　) 友達は外国で空を見て、ちがう世界に来たように思った。
4. (　) 旅行に行った所では、道や建物がオレンジ色だった。
5. (　) 筆者の学生時代には、東京の空も広かった。
6. (　) 友達はかなしそうな顔で、旅行の話をした。

II. 次の質問に答えてください。
1. 友達は初めての外国で有名な所へ行ったり、料理を食べたりして、どう思いましたか。
　_____。

2. 友達はどうして「ちがう世界へ来たようだ」と思ったのですか。
　_____。

3. 筆者は友達の外国旅行の話を聞いて、どう思いましたか。
　_____。

第3課 たべる

聞きましょうA

Disk 1 07, 08

Ⅰ. 会話を聞いて、質問に答えてください。

1. (　　　)　2. (　　　)　3. (　　　)　4. (　　　)　5. (　　　)

Ⅱ. もう一度聞いて、書いてください。

A：ねえ、お昼、何食べる。

B：さあ、①_____。コンビニでも行く。

A：でも、コンビニも毎日じゃねえ…。

B：②_____、_____。

A：そうだよね。きのうの夜は何を食べたの。

B：きのうの夜、何だったかなあ。わすれた。

A：ええ、おぼえてないの。③_____。

B：うん、そうなんだけど…。でも、④_____、_____。

A：ふうん。私、何食べたかな。あ、⑤_____。作るの大変だし。

B：へえ、自分で作るの。

A：そうじゃないけど。最近、お母さんも忙しそうで、帰りがおそくなるときは、「⑥_____」ってことになるから。

B：そうか。ま、⑦_____、_____。最近は、⑧_____、それですませられるし。

A：で、どこ行く。

B：どこでもいいよ。食べたい物ないし。⑨_____。

A：私も何でもいいけど…。何かおいしい物、食べたいな。そうだ、この間、⑩_____。だれだったか、おいしいって言ってた。

B：わかった。それなら早く行こう。次のじゅぎょうにおくれるよ。

13

聞きましょうB　　　Disk 1 09

Ⅰ. 質問に答えられるように、ノートを取りながら、聞いてください。

1. おせち料理には、どのような気持ちが伝えられていますか。
2. 今、「おせち料理」はどうなりましたか。
3. 話している人が「わすれられない」と言っているのはどんなことですか。

Ⅱ. ノートを見ながら、書いてください。

1. おせち料理
   - ◆おせち料理のひとつひとつに＿＿＿＿＿＿＿＿＿＿。
   - ◆＿＿＿＿＿＿＿＿＿＿＿＿＿＿＿が伝えられている。

2. 時代の変化
   - ◆昔は、「おせち料理」は＿＿＿＿＿＿＿＿＿＿＿＿＿＿＿＿。
   - ◆今は、＿＿＿＿＿＿＿＿＿＿＿＿＿＿＿＿＿＿＿＿。
   - ◆それは、＿＿＿＿＿＿＿＿＿＿＿＿＿＿＿＿＿からだ。

3. 家族との時間
   - ◆料理を作る母の姿、＿＿＿＿＿＿＿＿＿＿こと、＿＿＿＿＿＿＿＿＿＿＿＿
     ことが今でもわすれられない。
   - ◆食事は＿＿＿＿＿＿＿＿＿＿＿＿＿ので、家族で作ってみたらいい。

練習しましょう

Ⅰ. ひらがなは漢字にして、漢字は読み方を書いてください。

1. ①<u>むかし</u>私たちに英語を教えてくれた先生を②<u>かこみ</u>、みんなで食事をした。
   ①(　　　　)　②(　　　　)

2. 時代は③<u>かわり</u>、仕事が④<u>いそがしく</u>、⑤<u>じゅんび</u>が⑥<u>かんたん</u>な料理しかできない人がおおぜいいる。
   ③(　　　　)　④(　　　　)　⑤(　　　　)　⑥(　　　　)

3. 母は兄の⑦<u>すがた</u>を見ると、「少しは休めないの」と言いながら、料理を⑧<u>あたためた</u>。
   ⑦(　　　　)　⑧(　　　　)

4. さくらが咲いた春のきれいな⑨<u>風景</u>を見て、外国から来た友達はとても⑩<u>喜んだ</u>。
   ⑨(　　　　)　⑩(　　　　)

5. 作るのは⑪大変でしたが、⑫今夜の食事は⑬栄養のバランスを考えて作りました。
   ⑪（　　　　） ⑫（　　　　　） ⑬（　　　　　　）

6. 今日は父のたんじょう日なので、⑭晩ご飯のテーブルには父の好きな料理が⑮並んでいる。
   ⑭（　　　　　） ⑮（　　　　　）

II. （　）の中に言葉を入れて、文を作ってください。

1. おなかが（　　　　）死にそうになると、木や草でも食べられるようになるそうだ。
2. 時間を（　　　　）子供の好きな料理を作ったのに、子供に「食べたくない」と言われた。
3. 栄養のバランスが（　　　　）食事をされているので、いつもお元気なんですね。
4. まどの外に（　　　　）をやると、雨がやんで、いい天気になっていた。
5. 子供たちは、大切にしていた鳥が死んでいるのを見て、大きな（　　　　）を上げた。
6. 雨がふるかと心配したが、天気が良くなってきたのでほっと（　　　　）。

III. （　）に助詞を書いてください。「は」「も」は使えません。

1. 毎日の生活には、何か変化（　　）なければ、おもしろくない。
2. 帰りがおそくなったので、今日は外（　　）食事（　　）すますことにした。
3. 足（　　）はやい子供の中から運動会に出る選手を選んだ。
4. 図書館のたな（　　）は、先生が書かれた本（　　）並んでいた。
5. 外国（　　）帰ってきた友達（　　）囲んで、おしゃべりをしながら、みんなで食事をした。

IV. 【　】の言葉を正しい形にして、（　）に入れてください。

1. 朝から公園にいた子供たちは、（　　　　）疲れて寝てしまったようだ。【遊ぶ】
2. これは（　　　　）ばすぐに食べられるような商品ではない。【温める】
3. ひさしぶりに会った友達は、あいかわらず（　　　　）いなかった。【変わる】
4. 私が（　　　　）くると、もう食事の準備はできていた。【帰る】
5. 時間がなかったので、（　　　　）タクシーに乗って駅へ行くことにした。【急ぐ】

第3課

V. 例のように、「それ／その」を使わない文にしてください。

例
母が朝のうちに晩ご飯を準備しておくので、姉はそれを温めて食べている。
⇒姉は母が朝のうちに準備しておいた晩ご飯を温めて食べている。

1. 犬が公園で気持ちが良さそうに寝ていたので、私はその写真をとった。
   ⇒私は_____犬の写真をとった。

2. 子供たちが声を上げて喜んでいたので、私はその姿を見て、とてもうれしくなった。
   ⇒私は_____姿を見て、とてもうれしくなった。

3. 友達が料理を教えてくれたので、私はそれを作ってみたが、あまりおいしくできなかった。
   ⇒私は_____料理を作ってみたが、あまりおいしくできなかった。

4. 父が本を買ってくれたので、弟はそれを読んだらしいが、よくわからなかったそうだ。
   ⇒弟は_____本を読んだらしいが、よくわからなかったそうだ。

5. 学生が日本語の勉強が難しくて困っていたので、先生はその学生と会った。
   ⇒先生は_____学生と会った。

読んでみましょう

ご飯ですよ

　食事が楽しみだった時代、子供たちは「ご飯ですよ」の声を聞くと、すぐにいつもの所にすわった。そして、目の前に並べられていく料理を見て、声を上げる。好きな物があるかな、何から食べ始めようかなと、食べ始めるのを待つ間、子供たちはとてもうれしそうにしている。「お父さん、早く」と言う子もいるし、おはしを持って、すぐに食べ始められるように準備をしている子もいる。みんなの顔に喜びがあふれている時代だった。

　時代が変わり、「ご飯ですよ」と言われても、子供たちがなかなかテーブルに来てすわろうとしなくなった。「もうテレビはけして」と母親に何回も言われて、やっと「はい」と返事をする。見たい番組が始まるまでに食べてしまおうと思って、食事中に何度も時計に目をやる。そして、番組が始まる前に、「ごちそうさま」と言って、テレビが置いてある部屋へ行くようになった。

　それから何年かして、今度は横に置いた小さな画面を見る時代が来た。「むこうに置いてきなさい」と親にしかられると、いやそうな顔をしてそうするが、ときどき音楽が耳に入ると、「ちょっと」と言って部屋を出て行く。そして、もどってきて、急いで食事をすまし、「ごちそうさま」と言って部屋を出て行く。時代が変化すると、食事の風景も変わると言うが、子供たちが食事をするときの姿を見ても、それがよくわかる。

第3課

I. 上の文を読んで、正しいと思う文に〇をつけてください。

1. （　）食事が楽しみだった時代があった。
2. （　）昔は父親を待たずに食事を始める子供がいた。
3. （　）食事中に子供たちが時計を見るのは、食事を早く終わらせたいからだ。
4. （　）食事が終わると、家族みんなでテレビを見るのがふつうだった。
5. （　）今は音楽を聞きながら食事をして、親にしかられる子供が多い。
6. （　）子供が食事をする姿を見ると、時代の変化がわかる。

II. 次の質問に答えてください。

1. 昔、子供たちは、どうして料理を見て、声を上げたのですか。
   _____。

2. 食事中、子供たちが時計に目をやるようになったのは、どうしてですか。
   _____。

3. 昔と今の食事の風景で、一番ちがうことは何ですか。
   _____。

第4課 たとえる

聞きましょうA　　　　　　　　　　　　　　　　　　Disk 1 10, 11

I. 会話を聞いて、質問に答えてください。

1. (　　　　) 2. (　　　　) 3. (　　　　) 4. (　　　　) 5. (　　　　)

II. もう一度聞いて、書いてください。

A：どう、日本語の勉強。今、どんなこと習ってるの。

B：日本のことわざです。今日は、猫や犬を使ったことわざを習いました。
①＿＿＿＿＿＿＿＿＿＿、＿＿＿＿＿＿＿＿＿＿＿＿＿＿＿。

A：②＿＿＿＿＿＿＿＿＿＿＿＿＿＿、＿＿＿＿＿＿＿＿＿＿。「親の心、子知らず」「かべに耳あり」。そうだ、③＿＿＿＿＿＿＿＿＿＿＿＿＿＿＿＿＿＿＿＿＿＿。

B：たとえば、どんなのですか。

A：たとえば、「目をさらのようにして見る」ってどんな意味だと思う。

B：④＿＿＿＿＿＿＿＿＿＿＿＿＿＿＿＿、＿＿＿＿＿＿＿＿＿＿という意味ですか。

A：ざんねん。「目をさらのようにして見る」というのはね、⑤「＿＿＿＿＿＿＿＿」＿＿＿＿＿＿＿＿＿＿。

B：どうして⑥「＿＿＿＿＿＿」＿＿＿＿＿＿＿＿＿＿＿＿＿＿＿＿。

A：だって、物をさがすときは注意して見るから、⑦＿＿＿＿＿＿＿＿＿＿、＿＿＿＿＿＿＿＿＿＿＿＿。

B：そうですか、初めて知りました。でも、それはことわざとはちがいますね。

A：そうね、たとえよね。

B：⑧＿＿＿＿＿＿＿＿＿＿＿＿＿＿、＿＿＿＿＿＿＿＿＿＿＿＿＿＿＿＿＿＿ので、難しいですね。面白いけど、外国人には⑨＿＿＿＿＿＿＿＿＿＿＿＿＿＿＿＿＿。

A：そうか、難しいのね。今日習ったことわざを教えてよ。

B：ええっと、一番好きなのはあれです。日本人は忙しいとき、猫に手伝ってもらうんですよね。

A：ああ、「猫の手も借りたい」。⑩＿＿＿＿＿＿＿＿＿＿＿＿、＿＿＿＿＿＿＿＿＿＿。

19

第4課

聞きましょうB　　　　　　　　　　　　　　　　　　　　　　　　Disk 1　12

I. 質問に答えられるように、ノートを取りながら、聞いてください。

1. この話を聞いている人の中には、どんな人がいるでしょうか。
2. この話の中のことわざはどんな意味ですか。
3. 話している人が伝えたいことは何ですか。

II. ノートを見ながら、書いてください。

1. 話を聞いている学生たち
    - ここにいるのは、＿＿＿＿＿＿＿＿＿＿＿＿＿＿＿＿＿＿＿＿学生たちだ。
    - 生活が変わって＿＿＿＿＿＿人や、新しい所で＿＿＿＿＿＿＿＿＿＿＿＿
      と思っている人がいるだろう。

2. 話の中のことわざ
    - 「馬を水のある所につれていくことはできるが、＿＿＿＿＿＿＿＿＿＿＿＿」
      ということわざがある。
    - これは「馬が自分で水を飲みたいと思わなければ、＿＿＿＿＿＿＿＿＿＿＿
      ＿＿＿＿＿＿」という意味だ。
    - このことわざのように、先生方が＿＿＿＿＿＿＿ても、＿＿＿＿＿＿＿＿＿
      ＿＿＿ば、意味がない。

3. 伝えたいこと
    - ＿＿＿＿＿＿＿＿＿＿＿＿＿＿＿＿＿＿ときは、このことわざを口に出すと良い。
    - ＿＿＿＿＿＿＿＿＿＿＿＿を待たずに、＿＿＿＿＿＿＿＿＿＿＿＿＿＿ほしい。

練習しましょう

I. ひらがなは漢字にして、漢字は読み方を書いてください。

1. この①こばんにどのくらいの②かちがあるのか、見当もつかない。
    ①（　　　　　）②（　　　　　　）

2. 友達に③しょうかいされた本は、④おもしろくてとても⑤やくに立つ本だったので、何時間も読み⑥つづけました。
    ③（　　　　　）④（　　　　　）⑤（　　　　　）⑥（　　　　　）

3. ⑦かりたお金を返すために、毎日目が⑧まわるほど忙しく仕事をしている。
    ⑦（　　　　　）⑧（　　　　　　）

4. けがでいつものように⑨働けなくなって、⑩皆さんに⑪手伝ってもらうしかなかった。
   ⑨(　　　　)　⑩(　　　　)　⑪(　　　　)

5. 毎日⑫庭に来る⑬猫がいるのだが、どこの猫か⑭誰か知らないだろうか。
   ⑫(　　　　)　⑬(　　　　)　⑭(　　　　)

6. 兄は⑮額が⑯普通より少し⑰狭い。
   ⑮(　　　　)　⑯(　　　　)　⑰(　　　　)

II．(　)の中に言葉を入れて、文を作ってください。

1. これは日本で買うことができない物ですよ。どこで手に(　　　　)んですか。
2. きのうは目が(　　　　)ほど忙しくて、昼ご飯を食べる時間もなかった。
3. 社長は、「一度(　　　　)に出したことは守ってほしい」と強く言った。
4. 学校で学んだことは、卒業してから(　　　　)に立たなければ、意味がない。
5. 話したいことがあると言って、せんぱいが2時間前からずっと(　　　　)。
6. この料理はからそうに見えましたが、食べたらそれほど(　　　　)。

III．(　)に助詞を書いてください。「は」「も」は使えません。

1. たとえ仕事(　　)面白くなくても、いやがらずに働いてほしいと思う。
2. 小判(　　)手(　　)してみると、思っていたより重かった。
3. 皆さんは、誰か(　　)手伝ってほしいとき、何と言いますか。
4. 私(　　)は家(　　)置いてあった絵の価値がわからず、売ってしまった。
5. 昔から、人はいろいろな動物(　　)生活をしてきた。

IV．【　】の言葉を正しい形にして、(　)に入れてください。

1. 毎日忙しくて、家でなかなかのんびり(　　　　)ないでいる。【する】
2. こんな面白くないえいがは、お金をはらって(　　　　)価値がない。【見る】
3. このおさらは昔からずっと(　　　　)続けられてきたとは思えないほどきれいです。【使う】
4. 言ってはいけないことだとわかっていながら、つい(　　　　)しまった。【言う】
5. おおぜいでそうじを(　　　　)も、この家がすぐにきれいになると誰が思うだろうか。【する】

第4課

Ⅴ. 「たとえ〜ても、〜ば、〜」という形を練習しましょう。

例
A：有名な大学に入れば、それだけで卒業してからいい会社に入れるでしょうか。
B：いいえ、たとえ<u>有名な大学に入って</u>も、<u>勉強しなければ</u>、<u>いい会社には入れません</u>。

1. A：アメリカに行けば、それだけで英語が話せるようになるでしょうか。
   B：いいえ、たとえ＿＿＿＿＿＿ても、＿＿＿＿＿＿ば、＿＿＿＿＿＿＿＿＿＿＿＿。

2. A：辞書を引けば、それだけで言葉がおぼえられるでしょうか。
   B：いいえ、たとえ＿＿＿＿＿＿ても、＿＿＿＿＿＿ば、＿＿＿＿＿＿＿＿＿＿＿＿。

3. A：ご飯をたくさん食べれば、それだけで子供は元気に育つと思いますか。
   B：いいえ、たとえ＿＿＿＿＿＿ても、＿＿＿＿＿＿ば、＿＿＿＿＿＿＿＿＿＿＿＿。

4. A：高いカメラを使えば、それだけでいい写真がとれると思いますか。
   B：いいえ、たとえ＿＿＿＿＿＿ても、＿＿＿＿＿＿ば、＿＿＿＿＿＿＿＿＿＿＿＿。

5. A：毎日漢字をたくさん書けば、それだけでおぼえられるのでしょうか。
   B：いいえ、たとえ＿＿＿＿＿＿ても、＿＿＿＿＿＿ば、＿＿＿＿＿＿＿＿＿＿＿＿。

読んでみましょう

テーブルに足がある

　「テーブルの足」「びんの口」や「猫の手を借りる」などのように、体のどこかを使ったたとえやことわざがたくさんありますが、これは日本語だけではなく、ほかの言葉でもそうです。たとえば、英語でも同じように "a leg of the table", "the mouth of a bottle" と言います。足（leg）や口（mouth）は、誰でもよく知っているので、「テーブルの下の所にあって…」「びんの上の所で…」と長く説明しなくても、こう言えば、すぐにわかるのです。

　まだほかにもたくさんあります。「台風の目」はうまい言い方だと思うし、「パンの耳」がどこのことかわかるでしょう。そして、「ふじ山のあたまがくもで見えない」と言われても、それほど難しくないと思います。また、「会社の顔」や「社長の手足」になって働く人たちがどんな仕事をする人たちかということも、少し考えてみれば、わかるのではないでしょうか。

　このように、誰でもよく知っている物を使って、ほかの物を説明するというやり方は、とても便利で、大切な言葉の使い方のひとつです。手や足など、体のどこかを使った言い方は、まだあります。次のような言い方もありますが、いくつ意味がわかるでしょうか。「パーティーに行きたいけど、足がない」「今日の目玉商品は何」「このうどん、こしがないね」など、どれも面白くて、長く使い続けられてきた言い方です。きっと役に立つと思うので、ぜひおぼえておいてください。

第4課

I. 上の文を読んで、正しいと思う文に〇をつけてください。

1. (　) 体のどこかを使った言い方は、ほかの外国語にはない。
2. (　) 体のどこかを使った言い方をすれば、説明するよりわかりやすい。
3. (　) 「台風の目」と言われれば、何のことかすぐにわかる。
4. (　) 「ふじ山のあたま」はふじ山の上の所だ。
5. (　) 「社長の手足」というのは、社長の手と足のことだ。
6. (　) みんながよく知っている言葉を使ったたとえやことわざをおぼえれば、役に立つだろう。

II. 次の質問に答えてください。

1. 体のどこかを使ってたとえる言い方があるのは、どうしてですか。
   _____。

2. 「社長の手足」というのは、どんな人たちのことでしょうか。
   _____。

3. 筆者は、どうして「ぜひおぼえておいてください」と言うのですか。
   _____。

第5課 あきれる

聞きましょう A　　　　　　　　　　　　　　　　　　　Disk 1　13, 14

Ⅰ. 会話を聞いて、質問に答えてください。

1.（　　　　）2.（　　　　）3.（　　　　）4.（　　　　）5.（　　　　）

Ⅱ. もう一度聞いて、書いてください。

A：今日は、番組に来ていただいた留学生の皆さんに、①_____
　　_____、ブバーンさんはどうでしょうか。

B：②_____、_____、_____
　におどろきました。中でも一番は、③_____、_____
　_____で生活している人がいることですね。

A：ええ。そんな人たちがいるんですか。

B：はい。一日じゅう、④_____。アルバイトして
　いるお店の人たちです。地下で仕事をしているので、いつ暗くなったのか、
　⑤_____。信じられなかったし、
　⑥_____。

A：そうか。一日じゅう、⑦_____。

B：それを聞いて、⑧_____、_____…。私だったら、
　がまんできません。

A：ブバーンさんはネパールから来られたんでしたね。ネパールでは、⑨_____
　_____。

B：ネパールでは、空が明るくなると仕事を始めて、それから暗くなるまで外で働
　く人が多いです。

A：へえ、そうですか。私も⑩_____。ブバーン
　さんには、がまんできないような生活だということですね。

B：そうですね。ときどき、いいお天気のときには、外に出たほうがいいですよ。

A：よくわかりました。ブバーンさん、どうもありがとうございました。

第 5 課

聞きましょう B ……………………………………………… Disk 1 15

Ⅰ. 質問に答えられるように、ノートを取りながら、聞いてください。

1. 「おどろく」「びっくりする」という言葉は、どんなときに使いますか。
2. 「あきれる」と思うのはどうしてですか。
3. 「あきれる」と思ったとき、どうすればいいと言っていますか。

Ⅱ. ノートを見ながら、書いてください。

1. 「あきれる」という言葉
   - 「あきれる」という言葉は、＿＿＿＿＿＿＿＿＿＿＿＿＿＿＿＿＿＿＿＿＿。
   - 「あきれる」と思うのは、たとえば、＿＿＿＿＿＿＿＿＿＿＿＿＿＿＿＿＿
     人を見たときだ。

2. どうして「あきれる」か
   - 「あきれる」のは、「おなかがすいたとき、どこで、何を食べるか」ということ
     が、＿＿＿＿＿＿＿＿＿＿＿＿＿＿＿＿＿＿＿＿からだ。
   - 「普通のこと」と思うかどうかは、＿＿＿＿＿＿か、＿＿＿＿＿＿かなどで違う。

3. 「あきれる」ことから学ぶこと
   - 人は、「あきれる」ときに、＿＿＿＿＿＿＿＿＿＿＿＿＿＿＿＿＿がわかる。
   - 普通ではないと思ったとき、＿＿＿＿＿＿＿＿＿＿＿＿＿＿＿＿＿＿＿
     ことが大切だ。

練習しましょう

Ⅰ. ひらがなは漢字にして、漢字は読み方を書いてください。

1. 子供が①しずかに②ねむっている③ようすを見ると、ほっとする。
   ①（　　　　　）②（　　　　　）③（　　　　　）

2. えいがを見ようと思って、④れつに⑤ならんだが、⑥とちゅうで⑦まんいんだ
   と言われて、チケットが買えなかった。
   ④（　　　　　）⑤（　　　　　）⑥（　　　　　）⑦（　　　　　）

3. ゲームに⑧むちゅうだった弟が「やめる」と言っても、⑨だれも⑩しんじませ
   んでした。
   ⑧（　　　　　）⑨（　　　　　）⑩（　　　　　）

4. ⑪お年寄りに⑫礼儀正しくできない子供の姿を見て、⑬留学生はとてもおどろ

いたそうだ。
⑪(　　　　)　⑫(　　　　)　⑬(　　　　)
5. 子供の⑭携帯電話は、⑮大人が使う物とは少し⑯違う。
⑭(　　　　)　⑮(　　　　)　⑯(　　　　)

II. (　)の中に言葉を入れて、文を作ってください。

1. ちょっとおくれるから、先に行って席を(　　　　)おいてください。
2. チケットを買われる方は、こちらの列に(　　　　)ください。
3. 母が忙しそうに晩ご飯の準備をしているのに、姉は手を(　　　　)ともしなかった。
4. となりの町まで行く機会が(　　　　)ので、最近できたというスーパーへ行ってみることにした。
5. 相手の目をじっと(　　　　)話すのが礼儀正しい話し方だと教えられた。
6. 日本語は難しいが、その中でも(　　　　)ほど難しいものはない。

III. (　)に助詞を書いてください。「は」「も」は使えません。

1. 最近、弟は音楽(　　)夢中で、あまり勉強しなくなりました。
2. 電気代が高い(　　)はわかるけれど、教室の暑さ(　　)はがまんできません。
3. 先生は教室(　　)入ると、かばん(　　)本(　　)取り出して話し始めた。
4. けんか(　　)しているのに、周り(　　)いる人たちは誰もやめさせようとしない。
5. 私は、お酒を飲んで大声(　　)上げている大人たち(　　)あきれました。

IV.【　】の言葉を正しい形にして、(　)に入れてください。

1. 子供たちはバスに乗ると(　　　　)始めた。【さわぐ】
2. 最近のわかい人が使う言葉を聞いていると、(　　　　)何も言えなくなる。【あきれる】
3. 外国での勉強は、初めのうちは生活に(　　　　)だけで大変だ。【なれる】
4. この間会ったばかりの人が急になくなるなんて、(　　　　)ない。【信じる】
5. 私は日本へ来てからずっと、日本社会の様子を(　　　　)きた。【見る】

V. 「~ことは、~ことだ」という形を使って、説明する文を練習しましょう。

> **例**
> 漢字がなかなかおぼえられなくて、困っています。
> ⇒<u>私が困っていることは、漢字がなかなかおぼえられないことです</u>。誰かに<u>勉強のしかたを教えてもらおう</u>と思っています。

1. 病気のときに、みんなが心配してくれて、うれしかったです。
   ⇒＿＿＿＿＿＿＿ことは、＿＿＿＿＿＿＿＿＿＿＿＿＿＿ことです。
   元気になってから、みんなに＿＿＿＿＿＿＿＿＿＿＿うと思っています。

2. あしたのパーティーに先生が来られなくて、ざんねんです。
   ⇒＿＿＿＿＿＿＿ことは、＿＿＿＿＿＿＿＿＿＿＿＿＿＿ことです。
   今度パーティーをするときは、＿＿＿＿＿＿＿＿＿＿うと思っています。

3. お年寄りに親切にしない人がいて、あきれました。
   ⇒＿＿＿＿＿＿＿ことは、＿＿＿＿＿＿＿＿＿＿＿＿＿＿ことです。
   困っているお年寄りを見たら、＿＿＿＿＿＿＿＿＿＿うと思っています。

4. 日本人は自分の気持ちをはっきり言わないので、困ります。
   ⇒＿＿＿＿＿＿＿ことは、＿＿＿＿＿＿＿＿＿＿＿＿＿＿ことです。
   意味がはっきりわからないときは、＿＿＿＿＿＿＿＿＿うと思っています。

5. 勉強しながらアルバイトもしなければならなくて、大変です。
   ⇒＿＿＿＿＿＿＿ことは、＿＿＿＿＿＿＿＿＿＿＿＿＿＿ことです。
   でも、勉強のほうが大切ですから、＿＿＿＿＿＿＿＿＿＿＿うと思っています。

読んでみましょう

子供とお酒

　この前、「日本に来てから、あきれるようなことがいくつかあった」と外国人の友達が言うので、何かと聞いてみると、日本人は電車やバスでお年寄りが立っているのに何もしようとしない、子供は話に夢中で、大声でおしゃべりして周りのことを考えない、こんなことは、自分が育った所では信じられないことだと言うのだ。中でも友達が一番あきれたことが、お酒を出す所で親が子供といっしょに食事をしていることだと言う。「あんな場所に子供といっしょに行くなんて信じられない」とあきれたのだそうだ。

　そう言われてみれば、日本でも昔はお酒が出るような所は、大人のための場所だったように思う。そんな場所で家族がいっしょに食事をすることなんて、考えられなかった。友達は、自分が子供のころは、両親がパーティーにしょうたいされて出かけるときは、子供たちは家にのこったし、家におきゃくさんがいるときは、子供たちは自分の部屋にいることになっていたと言う。そういう文化で育った友達が、お酒の出る店で家族がいっしょに食事をする様子を見れば、あきれるだろう。

　日本では、お酒もたばこも大人のための物であり、子供の体に悪いからという考えで、スーパーでもコンビニでも子供たちには売らない。それなのに、お酒が出される場所で、周りでお酒を飲む人たちの姿を見ながら、家族が食事をする。文化が違うのだ、時代が変わったのだと言ってすましていいことなのだろうか。友達の話を聞いて、考えてしまった。

第 5 課

I. 上の文を読んで、正しいと思う文に〇をつけてください。

1. (　) 筆者は、外国人の友達から、日本へ来てあきれた話を聞いた。
2. (　) 友達が一番あきれたことは、電車で子供が大声を上げて話していることだ。
3. (　) 友達は、お酒を出す所に子供が来ることは良くないことだと思っている。
4. (　) 昔は日本でも、お酒を出す所で家族が食事をすることはなかった。
5. (　) 友達の育った所では、親は子供といっしょにはパーティーへ行かないそうだ。
6. (　) 筆者は、お酒を出す所で家族が食事をするのを良いことだと思っている。

II. 次の質問に答えてください。

1. 友達はどんなことにあきれたと言っていますか。
   _____。

2. 友達はどんな文化で育ちましたか。
   _____。

3. 筆者は、お酒を出す所で子供が親と食事をすることをどう思っていますか。
   _____。

第6課 つたえる

聞きましょうA　　　　Disk 1 16, 17

I. 会話を聞いて、質問に答えてください。

1.(　　　) 2.(　　　) 3.(　　　) 4.(　　　) 5.(　　　)

II. もう一度聞いて、書いてください。

A：ああ、ほんと、うんざりする。

B：何が。そんなに大変なの。何か言われた。

A：そうじゃなくて、山田君よ。①＿＿＿＿＿＿＿＿＿＿＿＿＿＿＿、たのんだ仕事がなかなかできないのよ。

B：間違わないように気をつけてるんでしょ。

A：②＿＿＿＿＿＿＿＿＿＿、＿＿＿＿＿＿＿＿＿＿、時間がかかって、かかって…。

B：それは必要なことでしょ。③＿＿＿＿＿＿＿＿＿＿＿＿＿＿＿＿。

A：ねえ、はるか、④＿＿＿＿＿＿＿＿＿＿＿＿。山田君のこと、気に入ってるの。

B：山田君ね、うん、ま、⑤＿＿＿＿＿＿＿＿＿＿＿＿。

A：何よ、それ。私のことも考えてよ、もう…。

B：わかってるわよ。でもね、のぞみ、⑥＿＿＿＿＿＿＿＿＿＿＿＿＿＿＿。

A：それ、どういうこと。いい所なんてあるのかなあ。

B：⑦＿＿＿＿＿＿＿＿＿＿＿＿＿＿。あるのよ、誰にでも。そしてね、できるだけ⑧＿＿＿＿＿＿＿＿＿＿、＿＿＿＿＿＿＿＿＿＿。「あの人は仕事がおそい」じゃなくて、「⑨＿＿＿＿＿＿＿＿＿＿＿＿＿」とか。そうすれば、あまりいやな人だと思わなくなるから。

A：まあ、たしかにそうかもね。ふしぎね、⑩＿＿＿＿＿＿＿＿＿＿＿＿＿＿＿＿＿＿。私も⑪＿＿＿＿＿＿＿＿＿＿＿＿＿＿、なかなか伝わらないから、つい⑫＿＿＿＿＿＿＿＿＿＿＿＿＿＿＿＿＿＿。

B：いいのよ、それで。山田君もきっとのぞみの思いやりを感じてるわよ。

A：そうかなあ。そうだといいけど…。

第6課

🔊 聞きましょうB　　　　　　　　　　　　　　　　　　　Disk 1　18

Ⅰ. 質問に答えられるように、ノートを取りながら、聞いてください。

1. 話している人は、何が難しいと言っていますか。
2. それについて、どんな例がありますか。
3. どんなとき、「日本語は難しい」と感じるのですか。

Ⅱ. ノートを見ながら、書いてください。

1. 難しい言葉
   - ＿＿＿＿＿＿＿＿＿＿＿＿＿＿＿が難しい。
   - お年寄りが「今日はあれですね」と言うのが、初めは＿＿＿＿＿＿＿＿＿＿＿＿。

2. 「あれ」の使い方
   - 「気をつけて、そこはあれだから」と言われたのは、＿＿＿＿＿＿＿＿＿＿＿＿＿＿＿＿＿＿＿＿ときだった。
   - 「また残業になってあれだけど」は「続いてしまって＿＿＿＿＿＿＿＿＿＿＿」とか、「＿＿＿＿＿＿＿＿＿＿、すまないけど」とかいう意味だろう。

3. 日本語の難しさ
   - 「難しい」と感じるのは、日本人なら誰でもわかることが、＿＿＿＿＿＿＿＿＿＿＿ときだ。
   - 全部言わなくても日本人には伝わるだろうが、＿＿＿＿＿＿＿＿＿＿＿＿＿＿＿＿。
   - 外国語は＿＿＿＿＿＿＿＿＿＿＿＿＿＿ものだ。
   - しかし、ときどき、＿＿＿＿＿＿＿＿＿＿＿＿＿＿＿＿＿＿＿＿と考えてしまう。

✏️ 練習しましょう

Ⅰ. ひらがなは漢字にして、漢字は読み方を書いてください。

1. ①わかい人に正しい言葉の使い方を教える②ひつようがあると③かんじている人はきっと多いだろう。
   ①（　　　　　）②（　　　　　）③（　　　　　）

2. 先にお金を④はらったのに、⑤まちがって⑥べつの品物が送られてきた。
   ④（　　　　　）⑤（　　　　　）⑥（　　　　　）

3. ⑦とっきゅう電車がふえるのは、⑧ざんぎょうでおそくなる人にはうれしいことだという⑨とうしょがあった。

⑦（　　　　）　⑧（　　　　）　⑨（　　　　）

4. 新しい社長には、⑩敬語で話せと⑪命令されたり、仕事を⑫残して帰ることを⑬禁止されたりと、うんざりするようなことがたくさんある。

⑩（　　　　）　⑪（　　　　）　⑫（　　　　）　⑬（　　　　）

5. ⑭乗車したバスはエアコンがこわれていて、⑮我慢できないくらい暑かった。

⑭（　　　　）　⑮（　　　　）

6. えいがの⑯券をもらったので、今日は休みを取って、仕事から⑰離れて⑱一日中のんびりすることにした。

⑯（　　　　）　⑰（　　　　）　⑱（　　　　）

II. （　）の中に言葉を入れて、文を作ってください。

1. ねつがある子供のことが気に（　　　　）、会社から早く帰って来た。
2. 最近の若い人は、お年寄りが困っている様子を目に（　　　　）も、手を貸そうともしない。
3. 弟は色が（　　　　）に入らないと言って、父からもらったばかりの時計を私にくれた。
4. 新しいカメラを買ったが、使い方が難しくて、思ったように（　　　　）。
5. 仕事を手伝ってもらったので、ちょっとした（　　　　）をあげた。
6. 子供のころ、肉ばかりではなく、やさいもできるだけ（　　　　）ように母に言われた。

III. （　）に助詞を書いてください。「は」「も」は使えません。

1. 先生が使う言葉（　　）は、子供たち（　　）の思いやり（　　）感じられる。
2. 自分（　　）はたしかに伝えたつもりだったが、友達（　　）は伝わっていなかったようだ。
3. 私が生まれたのは、ここ（　　）遠く離れた小さな町です。
4. 朝早く（　　）大声で聞かされるアナウンス（　　）は本当にうんざりする。
5. 今日は100年ほど前の社会と文化（　　）ついて、お話しすることにします。

IV. 【　】の言葉を正しい形にして、（　）に入れてください。

1. 人を待たせるものではありません。早く用意を（　　　　）なさい。【する】
2. 考えることが多すぎると、（　　　　）としても、なかなか（　　　　）。【寝る】
3. こちらにお名前とご住所をお（　　　　）になってください。【書く】
4. 店の人に「買わないなら帰ってくれ」と（　　　　）ように感じた。【言う】

5. 敬語の使い方を（　　　　）おぼえている人も多いので、よく勉強しておいたほうがいい。【間違う】

V. 例のように「の」を使って、文を書いてください。

例

若い母親から投書が送られてきた。
⇒若い母親からの投書には、電車の中での子供たちの様子にあきれたと書いてあった。

1. 私は大学院でじゅぎょうを受けた。
   ⇒私は＿＿＿＿＿＿＿＿じゅぎょうが＿＿＿＿＿＿＿＿とは思いもしなかった。

2. 私は休みの日に家族といっしょに時間をすごす。
   ⇒私は＿＿＿＿＿＿＿＿＿時間を＿＿＿＿＿＿＿＿＿と思っている。

3. 私は山田さんへお礼のプレゼントをする。
   ⇒＿＿＿＿＿＿＿＿プレゼントを、私は＿＿＿＿＿＿＿＿＿と思っている。

4. 友達からメールが来た。
   ⇒＿＿＿＿＿＿メールには、＿＿＿＿＿＿＿＿＿＿＿ということが書いてあった。

5. 外国の人たちと話し合った。
   ⇒＿＿＿＿＿＿＿＿話し合いで、自分の国には＿＿＿＿＿＿＿＿＿＿
   ということを考えた。

読んでみましょう

食べられませんでした

　日本では、「目は口ほどにものを言う」とか「一を聞いて十を知る」などと言い、伝えたいことを全部言葉にせず、心でわかり合うことが良いと考えられてきました。たとえば、人と会ったとき、「お出かけですか」とたずねられて、「ちょっとそこまで」と言ったり、残業(ざんぎょう)が終わって、「いっぱいどう」と言われて、「今晩はちょっと」と言う場面を目にします。しかし、最近は外国に行く日本人や日本に住む外国人がふえ、「日本人ははっきり言わない」とか「日本語はわかりにくい」とか言われます。

　私は外国でパーティーに行って、そこのごしゅじんに「何か食べ物を持ってきましょうか」と言われ、「いいえ、けっこうです」と答えたら、相手がおどろいたことがあります。「本当に」と聞かれたので、「ええ」と答えて、その日は何も食べられませんでした。日本なら、「そうおっしゃらず、何か少しでも」となるのですが、そこの生活では自分のほしい物、言いたいことをはっきりと言わなければなりませんでした。そして、相手も言葉で伝えようとしない私の気持ちをわざわざ知ろうとはしなかったのです。

　言葉をどんなとき、どのように使うかにも文化があります。人と人が思っていることを伝え合うときに、はっきりと言葉で伝える必要(ひつよう)があると考える文化と、日本のように、全部言う必要はなく、相手を思いやることでわかり合えると考える文化があります。これはどちらがいいという問題ではなく、ふたつの考え方を知って、できるだけ正しく伝わるよう、話し方について考えてみることが大切だと思います。

Ⅰ. 上の文を読んで、正しいと思う文に○をつけてください。

1. (　) 日本では、言葉より心で伝え合うことが良いことだと考えられてきた。
2. (　) 「お出かけですか」と聞かれたときは、どこへ行くか答えなければならない。
3. (　) 「今晩はちょっと」は、「少しだけ飲みましょう」という意味だ。
4. (　) 外国の人は、日本人の考えていることや日本語がよくわからないと言っている。
5. (　) 筆者は外国のパーティーでごしゅじんに食べ物を持ってきてもらった。
6. (　) 文化が違えば、言葉の使い方についての考え方が違う。

Ⅱ. 次の質問に答えてください。

1. 日本語で何かを伝えるとき、どのような考え方がありますか。
   _____。

2. 外国でパーティーに行って、何も食べられなかったのはどうしてですか。
   _____。

3. 筆者は何が大切だと言っていますか。
   _____。

第7課 かざる

聞きましょうA　　　　　　　　　　　　　　　　　　　　Disk 1 19, 20

Ⅰ．会話を聞いて、質問に答えてください。
1.(　　　)　2.(　　　)　3.(　　　)　4.(　　　)　5.(　　　)

Ⅱ．もう一度聞いて、書いてください。

A：ねえ、まきって最近やせた。

B：あ、わかる。ふふふ、今、このお茶飲んでるの。南アメリカのお茶だって。

A：あ、これ、今売れてるお茶でしょ。何とかって①＿＿＿＿＿＿＿＿＿＿＿＿
＿＿＿＿＿＿＿。ポスター見たことある。

B：そうそう。飲み始めて3週間ぐらいなんだけど、②＿＿＿＿＿＿＿＿＿＿＿＿
＿＿＿＿＿＿＿。

A：へえ、でも、ちょっとにおいが…。まるで草のような、動物のような…。

B：そう言わないで、ちょっと飲んでみてよ。③＿＿＿＿＿＿＿＿＿＿＿＿＿＿＿。

A：④＿＿＿＿＿＿＿＿＿、＿＿＿＿＿。中身がよくわからないし…。まきも⑤＿＿＿＿
＿＿＿＿＿＿＿＿＿＿＿＿。体に良くないかも…。

B：気にしすぎだって。味は悪いけど、⑥＿＿＿＿＿＿＿＿＿＿＿＿＿＿＿＿＿＿＿。

A：でも、⑦＿＿＿＿＿＿＿＿＿＿＿＿＿＿＿＿＿＿＿＿、気をつけてよ。
まきはほそいんだから、⑧＿＿＿＿＿＿＿＿＿＿＿＿＿＿＿＿＿＿＿。

B：ううん、あと2キロはやせないと。夏も近いしね。今週から⑨＿＿＿＿＿＿＿
＿＿＿＿＿、＿＿＿＿＿＿＿＿＿＿＿＿＿＿＿＿＿。

A：ええ、そこまでしなくても…。ま、⑩＿＿＿＿＿＿＿＿＿＿＿＿＿＿＿＿、
人間は中身でしょ。

B：もちろん中身は大切ですよ。でもね、⑪＿＿＿＿＿＿＿＿＿＿＿＿＿＿＿＿＿。
さくらも⑫＿＿＿＿＿＿＿＿＿＿＿＿＿＿＿＿＿＿。ちょっと地味なんじゃない。

A：そうかなあ。でも、体をこわさないことね。やせすぎて突然たおれても知らな
いから。

第7課

聞きましょうB　　　　　　　　　　　　　　　　　　　　Disk 1 21

Ⅰ. 質問に答えられるように、ノートを取りながら、聞いてください。

1. 話している人の家の仕事は何ですか。
2. 話している人が子供のころから決めていたことは何ですか。
3. どうしてそう決めたのですか。

Ⅱ. ノートを見ながら、書いてください。

1. 家の仕事
   ◆町では＿＿＿＿＿＿＿＿＿＿＿＿＿＿＿＿＿＿＿＿＿＿＿＿＿＿。
   ◆家族も友達も、話している人は＿＿＿＿＿＿＿＿＿＿＿＿＿と信じていた。

2. 子供のころのこと
   ◆子供のころから、＿＿＿＿＿＿＿＿＿＿＿＿＿＿＿＿＿＿と思っていた。
   ◆父親が会社員だった友達からは、「会社員なんて、＿＿＿＿＿＿＿＿＿＿＿＿＿、おそくまで残業し、＿＿＿＿＿＿＿＿＿＿＿＿ほど疲れて帰って、寝るだけだ」と笑われた。

3. 仕事を決めた理由
   ◆話している人は、＿＿＿＿＿＿＿＿＿＿＿＿＿＿＿＿＿父の姿を見て育った。
   ◆それで、＿＿＿＿＿＿＿＿＿＿＿＿＿＿＿＿ような生活が理想だと思った。
   ◆＿＿＿＿＿＿＿＿＿＿＿＿なんて良くないが、父の姿に影響された。

練習しましょう

Ⅰ. ひらがなは漢字にして、漢字は読み方を書いてください。

1. この学校の①せいふくのデザインは、学生が自分たちで②きめたそうだ。
   ①（　　　　　）　②（　　　　　）

2. ③どりょくしたのに試合に④まけて、弟は⑤とつぜん「もう練習には行かない」と言った。
   ③（　　　　　）　④（　　　　　）　⑤（　　　　　）

3. 私が⑥りそうとする会社は、仕事のやり方で自分を⑦はんだんしてくれる会社です。
   ⑥（　　　　　）　⑦（　　　　　）

4. 雪の⑧影響で⑨選挙に行けるか心配でしたが、電車は問題ないと聞き、⑩安心

しました。
⑧(　　　　)　⑨(　　　　)　⑩(　　　　)

5. ⑪名刺の⑫肩書は、その人の本当の姿を⑬表していないので、⑭信頼できるとは言えない。
⑪(　　　　)　⑫(　　　　)　⑬(　　　　)　⑭(　　　　)

6. ⑮地味だった妹が、大学に⑯進学してからは⑰化粧をするようになった。
⑮(　　　　)　⑯(　　　　)　⑰(　　　　)

7. 人のことなど⑱無視していた兄が、「⑲手術を受けて、⑳人間が変わった」と言ったが、㉑確かに人の話をよく聞くようになった。
⑱(　　　　)　⑲(　　　　)　⑳(　　　　)　㉑(　　　　)

II. (　)の中に言葉を入れて、文を作ってください。

1. ここにいない部長のことを話題に(　　　　)のはやめましょう。
2. 台風の影響を(　　　　)、東京へ行くしんかんせんは止まっているそうだ。
3. 新しく来た学生は遊んでばかりで、何をしに来たのか(　　　　)をかしげたくなる。
4. 誰でも間違うことはありますよ。あまり(　　　　)にしないでください。
5. 父は走るのはおそいが、水に入れば、まるで(　　　　)ようにはやく泳げる。
6. もし私がカナダで生まれていたら、(　　　　)はもちろん、フランス語も話せるようになっていただろう。

III. (　)に助詞を書いてください。「は」「も」は使えません。

1. 同じような年の人(　　)は負けないつもりで、毎日1時間走っています。
2. 先生(　　)作文(　　)見せたが、「せっかく書いても、これでは読む人(　　)何を伝えたいのかわからない」と言われてしまった。
3. 父に「大学(　　)進学したいのなら、もっと勉強することだ」と言われた。
4. 子供のころ(　　)「外見(　　)人を判断してはいけない」と教えられてきた。
5. そのポスター(　　)は、「思いやりのある社会を」(　　)書いてあった。

IV. 【　】の言葉を正しい形にして、(　)に入れてください。

1. 先生に、来週までにどちらの大学にするか(　　　　)ように言われた。【決める】
2. 何かを選ぶときには、色に影響(　　　　)やすいらしい。【する】
3. 初めて会った相手に、自分を良く(　　　　)たがる気持ちはわかる。【見せる】
4. 電車の中で化粧を(　　　　)女の人を見て、ふしぎでたまらなかった。【する】

39

5. いっしょうけんめい（　　　　　）と同時に、家族といっしょの時間を作ることも大切だ。【働く】

V. 「～はもちろん／確かに～。しかし、～ば、～」という形を練習しましょう。

> 例
> 外見をかざるのは、もちろん大切なことだ。しかし、いくら外見をかざっても、中身がなければ、何にもならない。

1. 外国語の勉強で、言葉をおぼえることは、もちろん＿＿＿＿＿＿＿＿＿＿＿＿＿＿。
 しかし、＿＿＿＿＿＿＿＿＿＿＿＿＿＿＿＿ば、意味がない。
2. お酒の飲みすぎは、もちろん＿＿＿＿＿＿＿＿＿＿＿＿。しかし、＿＿＿＿＿＿＿＿＿＿＿＿＿＿＿＿ば、問題はないだろう。
3. 外国で生活するのは、確かに＿＿＿＿＿＿＿＿＿＿＿＿。しかし、＿＿＿＿＿＿＿＿＿＿＿＿＿＿＿＿＿＿ば、きっとなれるだろう。
4. 先生のおっしゃることは、確かに＿＿＿＿＿＿＿＿＿＿＿＿。しかし、＿＿＿＿＿＿＿＿＿＿＿＿＿＿＿＿＿＿ば、何にもならない。
5. 動物を使ったことわざは、確かに＿＿＿＿＿＿＿＿＿＿＿＿。しかし、＿＿＿＿＿＿＿＿＿＿＿＿＿＿＿＿＿＿ば、役に立たないだろう。

読んでみましょう

何も言わないかみの毛だけど

　50年ほど前に、どこが一番初めだったか、若い男の学生が突然、女の人のようにかみの毛を長くしたことがありました。そのニュースが大きな話題になり、そして、世界のいろいろな場所で、かみの毛を長くする若い人が見られるようになりました。若い人たちが、それまでとは違う新しい考え方を持って、新しい時代が始まったということを、外見を使って伝えようとしている。初めは、「まるで女の子のようじゃないか」と首をかしげていた大人たちは、そう考えました。

　かみの毛を長くした時代の人たちは、自分の子供たちが大きくなって、今度はかみの毛を金色やピンクにするのを見ることになりました。このときも初めはおどろきましたが、それでも、若い人たちが普通の人たちとは違う外見をすることによって、自分たちは新しい時代の人間であることを表しているのだと、そう判断しました。

　今、若い男の子の中には、外見を気にして化粧品を使う人もいる、そんな時代です。学校に通っている間は制服があるし、親たちはみんな同じようなふくそうをして会社へ行く。そんな社会で育った若い人たちが、社会が決めた生活をしていたのでは何も変わらない。新しい考えも出てこない。そう考えて、それまでとは違う外見で、周りに何かを伝えようとしているのでしょう。いつの時代も、そんな若い人たちの影響で、大きくは変わらないけれども、社会の中身がゆっくりと変化していくのかもしれません。

第7課

I. 上の文を読んで、正しいと思う文に〇をつけてください。

1. （　）若い男の学生が突然かみの毛を長くしたのは、50年ぐらい前のことだ。
2. （　）かみの毛を長くした男の学生のニュースは、世界中で話題になった。
3. （　）大人たちは初め、若い男の人が女の子のように外見をかざるのはいいことだと思った。
4. （　）若い人たちが普通と違う外見をするのは、新しい時代の人間だと伝えたいからだろう。
5. （　）今は化粧品を使う男の子もいる。
6. （　）若い人たちの影響によって、社会がゆっくりと変わるかもしれない。

II. 次の質問に答えてください。

1. 大人たちは、かみの毛を長くした若い人たちを見て、どんなことを考えましたか。
   _____。

2. 次に、若い人たちの中に、どんなかみの毛をした人が出てきましたか。
   _____。

3. 今、若い人がほかの人と違う外見をするのは、どうしてだと言っていますか。
   _____。

第8課 おもいこむ

聞きましょうA　　Disk 1 22, 23

I. 会話を聞いて、質問に答えてください。

1. (　　　) 2. (　　　) 3. (　　　) 4. (　　　) 5. (　　　)

II. もう一度聞いて、書いてください。

A：やだ、また泣いてる。①＿＿＿＿＿＿＿＿＿＿、＿＿＿＿＿＿＿＿＿＿…。

B：何だよ、いいじゃないか。いいえいがだよ、これ。長い間家を離れてた夫がね、家に帰る前にはがきを書くんだよ。②＿＿＿＿＿＿＿＿＿＿＿＿＿＿＿＿…。

A：「黄色いハンカチ」でしょ。私も見たことある。

B：じゃ、わかるだろ、あの場面。目をやると、青空に黄色いリボンがたくさん…。

A：ハンカチでしょ。わかった、わかった。いいから、もう泣かないでよ。

B：③＿＿＿＿＿＿＿＿＿＿、何だよ。④＿＿＿＿＿＿＿＿＿＿＿＿＿＿。

A：そりゃあ、時にはね。でも、最近の男の人って、⑤＿＿＿＿＿＿＿＿＿＿＿＿＿＿＿＿＿。会社でも、⑥＿＿＿＿＿＿＿＿、＿＿＿＿＿＿＿＿、男性がよく泣くし。⑦＿＿＿＿＿＿＿＿＿＿、ほんと理解できない。

B：ぼくは会社では泣かないよ。子供のころ、よく父に「男のくせに」とか「お前は長男だぞ」ってしかられたもんだ。考えてみると、⑧「＿＿＿＿＿」＿＿＿＿＿＿＿＿＿＿＿＿＿＿。

A：うちもそう。家族が顔をそろえると、「女の子なんだから、ちゃんとすわって」なんて、⑨＿＿＿＿＿＿＿＿＿＿。兄や弟には言わないのに。

B：そうやって、⑩＿＿＿＿＿＿＿、＿＿＿＿＿＿＿＿＿＿。でもさ、ふしぎだよ。なんで男が泣いちゃいけないの。⑪＿＿＿＿＿＿＿＿＿＿＿＿＿＿＿＿。

A：それもそうか。⑫＿＿＿＿＿＿＿＿＿＿＿＿＿＿＿…。よし、わかった。これからはいつでも泣いていいよ。私がちゃんとそのわけを聞いてあげるから。

B：やめろよ、からかうなよ。ほんと、「女のくせに」って言いたくなるなあ。

43

第 8 課

🔊 聞きましょう B　　　　　　　　　　　　　　　　　　　　　　Disk 1 24

Ⅰ. 質問に答えられるように、ノートを取りながら、聞いてください。

1. 話している人の娘が「女子会」と言って、笑われたのはどうしてですか。
2. 「しゅじん」「かない」はどんな意味ですか。また、話している人はこの言葉についてどう思っていますか。
3. 言葉には、意味のほかに何が表されていると言っていますか。

Ⅱ. ノートを見ながら、書いてください。

1. 「女子会」という言葉
    - ◆「女子会」は女性だけでご飯を食べながら_____。
    - ◆「女子」は_____言葉だ。
    - ◆娘が笑われたのは、「女子」という言葉が_____と思われたからだ。

2. 使い方を考えさせられる言葉
    - ◆「しゅじん」は上と下の人間関係で_____、「かない」は_____という意味だ。
    - ◆今では、男性と女性のこのような関係を_____と思う人も多いだろう。

3. 私たちの思い込み
    - ◆言葉には、_____が表されることがある。
    - ◆正しいと思い込んでいることが_____なら、気をつけたほうがいい。

✏️ 練習しましょう

Ⅰ. ひらがなは漢字にして、漢字は読み方を書いてください。

1. 男物と女物を①くべつする②きじゅんはどこにあるのか、私には③りかいできない。
    ①(　　　　)　②(　　　　)　③(　　　　)

2. 昔は友達が多くなかったが、クラブに入ってから④なかまがずいぶん⑤ふえた。
    ④(　　　　)　⑤(　　　　)

3. 父は、女性が料理をするのは⑥あたりまえだと⑦おもいこんでいる。

⑥ (　　　　) ⑦ (　　　　　　)

4. 姉の服は⑧こせいがあっていいと言う人もいるが、私には少し⑨はでなので、⑩きょうゆうしようとは思わない。

⑧ (　　　　) ⑨ (　　　　　　) ⑩ (　　　　　　)

5. ⑪娘はフランスの海を⑫描いたこの絵がとても気に入っているようだ。

⑪ (　　　　) ⑫ (　　　　　　)

6. ⑬長男はアメリカで生活した⑭経験が長く、電話に出るとつい⑮口癖で「ハロー」と言ってしまう。

⑬ (　　　　) ⑭ (　　　　　　) ⑮ (　　　　　　)

7. アルバイトをするのに、先生の⑯許可を⑰求めなければならないなんて、⑱納得できない。

⑯ (　　　　) ⑰ (　　　　　　) ⑱ (　　　　　　)

II. (　　) の中に言葉を入れて、文を作ってください。

1. 聞いているだけで英語が身に (　　　　　) などという宣伝は信じられない。
2. 派手なゆびわやネックレスを身に (　　　　　) 人たちがパーティー会場に入っていった。
3. 長男は早くクリスマスにならないかなと (　　　　　) を長くして待っている。
4. 最近みんな忙しくて、全員が (　　　　　) をそろえて食事をすることは少なくなった。
5. 私は母に「いったい (　　　　　) までテレビを見ているの」と注意された。
6. 2時間も待っていたのに、私の大切な人はとうとう (　　　　　)。

III. (　　) に助詞を書いてください。「は」「も」は使えません。

1. 女性だからという理由で部長になれないなんて、私 (　　) は納得できない。
2. そのえいが (　　) は、どんなことがあっても負けない人間の姿 (　　) 描かれていた。
3. 何を基準 (　　) 今度の試合 (　　) 出る選手 (　　) 選んだのか理解できない。
4. かぜを引かないようにと、母親は子供 (　　) セーター (　　) 着せた。
5. 男は外 (　　) 働き、女は家 (　　) 仕事をするというように、男 (　　) 女 (　　) 区別して考えることはなくなってきているのではないだろうか。

IV. 【　】の言葉を正しい形にして、(　　) に入れてください。

1. 家族みんなで考えているが、娘の名前がなかなか (　　　　　)。【決まる】

第8課

2. あのピンクのリボンを（　　　　　）のが私の娘です。【する】
3. 友達に借りた辞書は、（　　　　　）じまいになってしまった。【返す】
4. 妻とけんかをした日は、家の猫にまで（　　　　　）いるように思う。【からかう】
5. 年代が違うからだろうか、娘の言うことが私には理解（　　　　　）。【する】

V. 「～のは当たり前だと言われる。なるほど、そうかもしれない。しかし、～」という形を使って、自分の考えを伝える練習をしましょう。

例

親なら、子供の世話をするのは当たり前だと言われる。なるほど、そうかもしれない。しかし、最近はいろいろな理由でそうできない親がいることも忘れてはいけない。

1. 友達なら、＿＿＿＿＿＿＿＿＿のは当たり前だと言われる。なるほど、そうかもしれない。しかし、時には＿＿＿＿＿＿＿＿＿＿＿こともある。

2. 経験が長い人なら、＿＿＿＿＿＿＿＿＿のは当たり前だと言われる。なるほど、そうかもしれない。しかし、その人が＿＿＿＿＿＿＿＿＿＿＿ことも理解しておかなければならない。

3. お金を使えば、＿＿＿＿＿＿＿＿＿のは当たり前だと言われる。なるほど、そうかもしれない。しかし、人間には＿＿＿＿＿＿＿＿＿＿＿ことも忘れてはいけない。

4. 長く外国で生活すれば、＿＿＿＿＿＿＿＿＿のは当たり前だと言われる。なるほど、そうかもしれない。しかし、努力しなければ＿＿＿＿＿＿＿＿＿＿＿こともある。

5. ぎじゅつが開発されれば、＿＿＿＿＿＿＿＿＿＿＿＿＿＿＿＿のは当たり前だと言われる。なるほど、そうかもしれない。しかし、それだけで＿＿＿＿＿＿＿＿＿とは言えない。

読んでみましょう

水に気をつけて

　外国にいくつか工場を持つ私の会社では、会社に入って2,3年すると、そのひとつに行って、そこでの生活を1年ほど経験することになっている。若い社員が日本を離れることが決まると、そこで生活したことがあるせんぱいに「何か気をつけることがありますか」と意見を求める。せんぱいは「水に気をつけて」「料理していない物は食べないように」「この近くには行かないように」と、親切に教えてくれる。

　聞いていると面白い。生活した時代が違うのだから当たり前だが、同じことを話題にしているのに、「気をつけて」と言う人と「問題ない」と言う人がいる。自分の見たり聞いたりしたことが、いつの間にか自分の考えになり、「あそこはこんな所だ」と思い込んでしまい、人に伝えるようになる。思い込みなんてそんなもので、ちょっとしたことが始まりで、知らず知らずのうちに納得してしまうということなのだろう。

　人間が思い込みをすることは、止めようがない。けれども、気をつけなければいけないのは、自分がこうだと思い込んでいる人や物が、何年かすると変わってしまっているということだ。自分も変わるように、相手も変わっている。そのことをちゃんと理解しておかないと、いつまでも「あの人はこんな人だ」「あそこはこんな所だ」という、時には間違った考えを持つことになる。一度思い込んだことはなかなか変わらない。間違った思い込みで簡単に人や物を判断しないよう、気をつけなければと思っている。

第 8 課

I. 上の文を読んで、正しいと思う文に〇をつけてください。
1. (　) 筆者の会社では、若い社員を外国の工場に送る。
2. (　) 会社のせんぱいたちは外国に行く若い社員にいろいろなことを教える。
3. (　) せんぱいたちはみんな「外国では気をつけなければならない」と教えている。
4. (　) 自分の経験によって判断したことが思い込みになる。
5. (　) 自分が思い込んでいることでも、いつかは変わる。
6. (　) 「あの人はこんな人だ」「あそこはこんな所だ」とずっと信じることが大切だ。

II. 次の質問に答えてください。
1. 若い社員は日本を離れる前にどんなことをしますか。
　_____。

2. せんぱいたちの意見はどうして違うのですか。
　_____。

3. 筆者が「気をつけなければならない」と思っているのはどんなことですか。
　_____。

第9課 まもる

聞きましょうA　　　Disk 1 25, 26

I. 会話を聞いて、質問に答えてください。

1. (　　　) 2. (　　　) 3. (　　　) 4. (　　　) 5. (　　　)

II. もう一度聞いて、書いてください。

A：あ、もしもし、中村。ぼくだけど、あれ、どうなった。

B：ああ、そうそう。この間、①_____、
②_____、_____って言うんだよ。

A：ええ、何だよ、それ。ちゃんと詳しく説明したのか。

B：ああ、もちろんだよ。川口先生の60歳を記念して、③_____
_____。でも、最近は簡単に外へ出さないからね、情報を。

A：わかるけど、④_____。めったにない機会なのに…。

B：確かにそうだけど、個人情報がもれて、⑤_____、_____
_____。

A：悪用するはずないじゃないか。⑥_____。

B：卒業生といっても、学校側もわざわざそれを調べるのも大変だし、れんらく先を教えてくれっていう電話に対して⑦_____。

A：じゃあ、どうする。⑧_____。先生、楽しみになさってるんだよ。

B：インターネットでやり取りすれば、⑨_____
_____。ずっとれんらくを取り合っている人たちもいるはずだから。

A：あるいは、わかっている番号にかけて、⑩_____。

B：そうだね。どちらにしても、⑪_____。

A：でも、なんか納得できないよな。⑫_____、
人から人に伝えるなんて時間のかかる方法でれんらくしなきゃいけないなんて。

B：ああ、より便利な社会を作るはずの情報技術によって、生活しにくくなってるのかもしれないな。

49

🔊 聞きましょうB　　　　　　　　　　　　　　　　　　　　Disk 1 27

Ⅰ. 質問に答えられるように、ノートを取りながら、聞いてください。

1. この話の前に、話している人はどんな話をしましたか。
2. 話している人は、どうしてときどきいやになるのですか。
3. 本当に安全で安心な社会というのは、どんな社会だと言っていますか。

Ⅱ. ノートを見ながら、書いてください。

1. 話している人が伝えたかったこと
    - ◆けいさつは、＿＿＿＿＿＿＿＿＿＿＿＿＿社会を作りたいと思っている。
    - ◆今は、＿＿＿＿＿＿＿＿＿＿＿＿＿＿＿＿＿＿＿＿＿＿＿ことも大切だ。
2. いやになること
    - ◆話している人は、仕事で、「個人情報を大切にしなければ、いつの間にか、＿＿＿＿＿＿＿＿＿＿＿＿＿＿＿＿＿＿＿＿＿」と話をしている。
    - ◆しかし、それは「＿＿＿＿＿＿＿＿＿＿＿＿」と言うのと同じことだ。
3. 安全で安心な社会
    - ◆本当に安全で安心な社会とは、＿＿＿＿＿＿＿＿＿＿＿＿＿社会であるはずだ。
    - ◆自分の責任で個人情報を守りながら、同時に、＿＿＿＿＿＿＿＿＿＿＿＿＿＿＿＿＿＿ことができる社会であればいいと思う。

✏️ 練習しましょう

Ⅰ. ひらがなは漢字にして、漢字は読み方を書いてください。

1. ちゃんと①かんりされているはずの個人②じょうほうが、私たちの知らない所で③たにんに売られているとは④おそろしい話だ。
    ①（　　　　）②（　　　　）③（　　　　）④（　　　　）
2. 社長は、今度の⑤とうしに⑥たいして、「⑦せきにんはすべて自分にある」と言った。
    ⑤（　　　　）⑥（　　　　）⑦（　　　　）
3. 人の⑧遺伝子を⑨詳しく研究する新しい⑩技術が開発されれば、いろいろな病気の人を元気にすることができるかもしれない。
    ⑧（　　　　）⑨（　　　　）⑩（　　　　）
4. ⑪年齢の高い人たちが⑫財産を取られたり、⑬預金を引き出されたりしている

というニュースを目にして、かなしくなった。
⑪(　　　) ⑫(　　　) ⑬(　　　)

5. ⑭宗教や⑮思想だけではなく、⑯戸籍まで⑰参考にして会社に入れるかどうか判断する会社がまだ残っているという話を聞いたが、とても信じられない。
⑭(　　　) ⑮(　　　) ⑯(　　　) ⑰(　　　)

6. 私の⑱墓は、春になるとたくさん花が咲き、鳥が⑲鳴く、そんな場所に作ってほしい。
⑱(　　　) ⑲(　　　)

II. (　)の中に言葉を入れて、文を作ってください。
1. 誰かに情報が(　　　)ように、ちゃんと管理しておかなければならない。
2. コンビニのATMを使えば、いつでも預金を(　　　)ことができる。
3. いつの間にか他人に住所を知られているなんて、(　　　)が悪い話だ。
4. 毎日いっしょうけんめい練習したのだから、今度はかてそうな(　　　)がする。
5. このクラスの学生は、めったに宿題を(　　　)し、学校も休まない。
6. 携帯電話がより(　　　)なれば、お年寄りももっと使うようになるだろう。

III. (　)に助詞を書いてください。「は」「も」は使えません。
1. なくなるといけないので、個人の物は自分(　)責任(　)管理してください。
2. 私たちひとりひとり(　)は、社会(　)対していろいろな責任がある。
3. 大学時代のせんぱいは、私(　)有名な会社の部長を紹介してくれた。
4. 今は、子供(　)たくさん習い事(　)させる親が多い。
5. 日本語だけ(　)日本人(　)やり取りをするのは、私にはまだ難しい。

IV. 【　】の言葉を正しい形にして、(　)に入れてください。
1. 母が親切のつもりで言った言葉が、父の気分を悪く(　　　)。【する】
2. 今の生活はコンピュータに管理(　　　)いるとしか言いようがない。【する】
3. いったいどうして私の進学先が(　　　)しまったのだろうか。【知る】
4. もし私の開発した技術が悪用(　　　)らと考えると、恐ろしくてたまらない。【する】
5. 相手のことを(　　　)ば、こんなことが言えるはずがない。【思いやる】

V.「ところで、〜のだろうか」という形を練習しましょう。

> **例**
> 個人情報が自分の知らない所で売られているそうだ。ところで、<u>個人情報</u>はいったい<u>どうやって手に入れる</u>のだろうか。

1. 日本語には動物を使ったことわざがたくさんあるそうだ。ところで、＿＿＿＿＿＿＿＿＿＿＿＿＿＿＿＿＿はいったい＿＿＿＿＿＿＿＿＿＿＿＿＿＿＿＿＿＿のだろうか。

2. 敬語は日本語の勉強の中で一番難しい。勉強しても、せんぱいのようにじょうずに使えない。ところで、＿＿＿＿＿＿＿＿＿＿＿＿＿はいったい＿＿＿＿＿＿＿＿＿＿＿＿＿＿＿＿のだろうか。

3. 日本人は外国の人に親切で礼儀正しいと思われているそうだ。ところで、＿＿＿＿＿＿＿＿＿＿＿＿＿はいったい＿＿＿＿＿＿＿＿＿＿＿＿＿＿＿＿＿＿＿＿＿のだろうか。

4. 今、コンビニは私たちの生活にとって、とても大切な物になっている。ところで、＿＿＿＿＿＿＿＿＿＿＿＿＿＿＿＿はいったい＿＿＿＿＿＿＿＿＿＿＿＿＿＿＿＿＿＿＿のだろうか。

5. 家族みんなでテーブルを囲む食事風景は、今ではあまり見られなくなってしまった。ところで、＿＿＿＿＿＿＿＿＿＿＿＿＿＿＿＿＿はいったい＿＿＿＿＿＿＿＿＿＿＿＿＿＿＿＿＿＿＿のだろうか。

読んでみましょう

いじめも情報時代

　インターネットや携帯を使った「いじめ」が社会問題になっている。初めは子供たちの遊びくらいに思っていた親も先生も、自分の子供がいじめられ、学校へ行かなくなったり、いじめを理由にけんかをし、けがをさせられた子供が出たと聞いて、この問題に対して何らかの方法を考える必要があると動き始めた。時には、けいさつの助けが必要なほど大きな問題になることもあり、新聞やざっしも無視できなくなった。

　小学校にはインターネットの時間があり、必要な情報を手に入れ、それを参考にものの見方を広げ、多くの人たちともやり取りができるような子供たち、より広い世界で生活できる子供たちが育っているはずだった。インターネットや携帯が使えるのがうれしくて、ゲームでもしているつもりでやり取りしていた子供たちが、インターネットや携帯を使えば相手の顔を見ず、名前も伝える必要がないことを悪用して、いじめをすることなど考えてもいなかった。そのいじめが、今、小学校だけではなく、中学、高校、大学でも見られるようになっているという。

　誰かをいじめた、あるいは、誰かにいじめられた経験を持つ子供たちは、社会に出てからどんな人間になって、どんな生活をするようになるだろうか。まさかとは思うが、個人の安全を守るために、他人と関係を作らず、狭い世界で、ひとりで生活をするようになるのではないか。そんな人間が周りにおおぜいいる社会で生活するなんて、考えるだけでも気味が悪い。インターネットや携帯を使ったいじめを子供の問題というだけですましていると、自分たちではどうにもできない恐ろしい時代が来るような気がする。社会みんなの問題として何ができるのか、今、考えなければならない。

I. 上の文を読んで、正しいと思う文に〇をつけてください。

1. （　）インターネットや携帯を使ったいじめは、初めは問題にされなかった。
2. （　）小学校では、インターネットの時間に情報のやり取りについて教えている。
3. （　）相手の顔を見たり、名前を伝えたりする必要のないことが、いじめをしやすくしている。
4. （　）インターネットや携帯を使ったいじめがあるのは、小学校だけではない。
5. （　）他人と関係を作らずひとりで生活する人が周りにおおぜいいる社会で生活するのは、気味が悪い。
6. （　）インターネットや携帯を使ったいじめは、これから少なくなる。

II. 次の質問に答えてください。

1. 今、何が社会問題になっていますか。
   _____。

2. 何のために小学校にインターネットの時間があるのですか。
   _____。

3. 筆者は、いじめたり、いじめられたりした経験のある子供は、社会に出てからどんな生活をするかもしれないと言っていますか。
   _____。

第10課 なれる

聞きましょうA　　Disk 1 28, 29

I. 会話を聞いて、質問に答えてください。

1. (　　　　)　2. (　　　　)　3. (　　　　)　4. (　　　　)　5. (　　　　)

II. もう一度聞いて、書いてください。

A：エレベーター、おそいね。かいだんで行こうかな。

B：だいじょうぶ。何、いらいらしてるの。①＿＿＿＿＿＿＿＿＿＿、＿＿＿＿＿＿、＿＿＿＿＿＿＿＿＿＿＿＿＿。

A：そうだけど…。もう、何やってんのかな。

B：②＿＿＿＿＿＿＿＿、＿＿＿＿＿＿＿。おそくなったのはこっちが悪いんだし。

A：③＿＿＿＿＿＿＿＿＿＿＿＿＿＿＿＿＿。あれもこれも、④＿＿＿＿＿＿＿＿＿＿＿＿＿＿＿＿＿＿、ほんとに…。

B：だいぶお疲れね。そんなにいらいらすると、体にも良くないよ。もう少し余裕を持たなくちゃ。

A：どうしたの、ゆうこ。⑤＿＿＿＿＿＿＿＿、＿＿＿＿＿＿＿＿＿。

B：そう。私はね、⑥＿＿＿＿＿＿＿＿＿＿、＿＿＿＿＿＿＿、＿＿＿＿＿＿＿。

A：ふうん、それで最近、残業もせずに帰ってるのね。で、それはまたどうして。何かあったの。

B：先月、⑦＿＿＿＿＿＿＿＿＿＿、あるとき、⑧＿＿＿＿＿＿＿＿＿＿＿＿＿。

A：私、今がそうかもしれない。⑨＿＿＿＿＿＿＿、＿＿＿＿＿＿＿＿＿＿＿＿。体は疲れるし、⑩＿＿＿＿＿＿＿＿＿＿＿＿＿＿＿＿。しばらくゆっくりしたいなあ。

B：そうね。私も⑪＿＿＿＿＿＿＿＿＿＿＿＿＿＿＿、それが半年も続いてたから、とても大変だった。あきも気をつけて。⑫＿＿＿＿＿＿＿＿＿＿、＿＿＿＿＿＿＿＿＿＿＿＿＿。

A：いい縁。ふうん、そういうこと。それが理由なのね。

B：さあ、どうかな。あ、来た、来た。さあ、早く、早く。

第10課

聞きましょうB　　　　　　　　　　　　　　　　　　　　　　　Disk 1 30

Ⅰ. 質問に答えられるように、ノートを取りながら、聞いてください。

1. 外国のレストランでどんなことがありましたか。
2. ホテルへもどるとき、どんなことがありましたか。
3. 話している人は、時間についてどんなことを考えましたか。

Ⅱ. ノートを見ながら、書いてください。

1. 外国のレストランで
   ◆ たのんだ料理が＿＿＿＿＿＿＿＿＿＿＿＿＿＿＿＿＿＿＿＿＿＿＿＿。
   ◆ 店の人は＿＿＿＿＿＿＿＿＿＿様子がない。
   ◆ 料理を持ってきたとき、「＿＿＿＿＿＿＿＿＿＿＿＿＿＿＿」とは言わず、「＿＿＿＿＿＿＿＿＿＿」と言った。

2. ホテルへもどるとき
   ◆ ＿＿＿＿＿＿＿＿＿＿＿＿＿＿＿＿＿ても、電車が来なかった。
   ◆ 話している人は心配になったが、いっしょに並んで待っている人は＿＿＿＿＿＿＿＿＿＿様子だった。

3. 時間について
   ◆ 文化が違うと＿＿＿＿＿＿＿＿＿＿＿＿＿＿から、外国にいるときくらい、＿＿＿＿＿＿＿＿＿＿＿＿＿＿＿＿＿のも悪くはない。
   ◆ いらいらしたり、心配したりしても、＿＿＿＿＿＿＿＿＿＿＿＿＿＿＿＿＿と考えれば、余裕が持てるようになるのは不思議だ。

練習しましょう

Ⅰ. ひらがなは漢字にして、漢字は読み方を書いてください。

1. 何となく①ちょうしが悪いので、病院に行ったところ、②げんいんふめいの新しい病気かもしれないと言われた。
   ①（　　　　　）　②（　　　　　　　）

2. ③ふしぎな話だが、④ごしゅじんが交通事故で⑤なくなった次の日に、いつもいっしょだった犬も死んでいたそうだ。
   ③（　　　　　）　④（　　　　　　　）　⑤（　　　　　　）

3. 会社に入ったばかりでまだ⑥なれず、社長の名前を⑦わすれて困ってしまった。

⑥（　　　　　）⑦（　　　　　）

4. 銀行で40年仕事に⑧おわれてきた父も、あと1年⑨たてば⑩ていねんになる。
   ⑧（　　　　　）⑨（　　　　　）⑩（　　　　　）

5. 事故が⑪起こって、⑫腕と⑬腰にけがをしてしまい、しばらく仕事から⑭外れることになった父はかなしそうだった。
   ⑪（　　　　　）⑫（　　　　　）⑬（　　　　　）⑭（　　　　　）

6. 仕事に⑮振り回され、旅行などとは⑯縁がない生活だが、⑰唯一、⑱意識して大切にしようと思っているのは、年に1度の家族旅行だ。
   ⑮（　　　　　）⑯（　　　　　）⑰（　　　　　）⑱（　　　　　）

7. ⑲出張の⑳支度で忙しいはずなのに、「私がいない間は…」と㉑余裕を持って周りに㉒語りかける部長を見て、「違うな」と思った。
   ⑲（　　　　　）⑳（　　　　　）㉑（　　　　　）㉒（　　　　　）

II.（　）の中に言葉を入れて、文を作ってください。

1. いつもは口数が（　　　　）父も、お酒を飲むとよく話す。
2. テレビを見ていた兄は「そろそろ始めるか」と腰を（　　　　）。
3. （　　　　）が経つと味が悪くなりますから、できるだけ早く食べてください。
4. 20年前に亡くなった父の声が、今も（　　　　）に残っている。
5. 10年前はまだ小さかった娘も、今ではすっかり（　　　　）なった。
6. 調子が良くないので薬を飲んだら、かえって（　　　　）なってしまった。

III.（　）に助詞を書いてください。「は」「も」は使えません。

1. けいさつ（　）追われたどろぼうは、ナイフ（　）振り回し始めた。
2. 母親は、いつも家に帰るとすぐに夕食の準備（　）取りかかったものだ。
3. 先生はにっこり笑って、おおぜいの学生たち（　）語りかけた。
4. あと10分あるから、タクシー（　）乗れば、やくそくの時間（　）間に合うはずだ。
5. いつも調子のいいことばかり言う人（　）父はきらっていた。

IV.【　】の言葉を正しい形にして、（　）に入れてください。

1. その人は、事故については何も（　　　　）とはしなかったが、けがをさせた相手のことをとても心配しているようだった。【話す】
2. 結婚して主人の親と住むことにしたが、親の意見に（　　　　）ことが多く、もううんざりだ。【振り回す】

第10課

3. あんなに元気だった夫が（　　　　）なんて、今でも信じられない。【亡くなる】
4. 心配していたが、天気予報が（　　　　）、台風は来なかった。【外れる】
5. 母はよく、「この歌を（　　　　）たびになつかしい気持ちになるのよ」と言っていた。【聞く】

V.「～ことに、～」という形を使って、自分の気持ちを強く言う練習をしましょう。

> **例**
> 最近、家の中であまり時計を見なくなったが、<u>本当に不思議に思っている</u>。
> ⇒<u>不思議なことに</u>、最近、家の中であまり時計を見なくなった。

1. 最近、子供が家の中で英語を使うようになって、＿＿＿＿＿＿＿＿＿＿。
　⇒＿＿＿＿＿＿＿ことに、＿＿＿＿＿＿＿＿＿＿＿＿＿＿＿＿＿。
2. いつの間にか日本語で書かれた本が読めるようになっていて、＿＿＿＿＿＿。
　⇒＿＿＿＿＿＿＿ことに、＿＿＿＿＿＿＿＿＿＿＿＿＿＿＿＿＿。
3. 私のクレジットカードが外国で使われていたことに、＿＿＿＿＿＿＿＿＿＿。
　⇒＿＿＿＿＿＿＿ことに、＿＿＿＿＿＿＿＿＿＿＿＿＿＿＿＿＿。
4. 会社からは飛行機事故の原因について説明がなかったことに、＿＿＿＿＿＿。
　⇒＿＿＿＿＿＿＿ことに、＿＿＿＿＿＿＿＿＿＿＿＿＿＿＿＿＿。
5. 仲間たちが定年になった私のためにパーティーを開いてくれて、＿＿＿＿＿。
　⇒＿＿＿＿＿＿＿ことに、＿＿＿＿＿＿＿＿＿＿＿＿＿＿＿＿＿。

読んでみましょう

追うか追われるか

　「一番忙しい人が一番多くの時間を持つ」と言った人がいる。忙しい人のほうがじょうずに時間を使って多くの経験をするから、人よりたくさん時間を持つことになるという意味だ。また、「時間の使い方のへたな人は、時間が短いと言う」という言葉もある。時間は誰でも同じ1日24時間だ。それをうまく使うには、時間を管理する方法を知ることが大切だ。その方法はいくつかあるが、だいたい次のように紹介されている。

　まず、1日の生活で自分がいつ何をしたか書いてみて、何にどれぐらい時間を使っているかを知る。次に、やる必要があることとないこと、先にやったほうがいいことと後でいいことを判断し、区別する。そして、必要なことをいつまでにやるか、時間を決める。後は決めたことを決めた時間にやるだけだ。面白いことに、私も時間の管理を始めてからはすっかり意識が変わり、気持ちに余裕が生まれた。自分で時間を管理し、自分だけの自由な時間を作る。時間に追われるのではなく、時間を追うのだ。

　以前の私は、毎日決められた時間を守って生活するなんて、とても我慢ができなかった。時間を気にせず、したいことをしたいときにするのが自由だと思っていた。しかし、そうしたからといって、1日の生活時間に変化があるわけではない。何となく毎日が同じようにくり返される。時間が経つのを忘れて仕事をし、寝る時間がなくなることもある。気が進まなければ、腰を上げて仕事に取りかかるまでに時間がかかり、間に合うのかといらいらすることもある。自由などころか、かえって時間に振り回されていたようだ。「忙しい」とか「時間がない」を口癖にしている人たちに、ぜひこの方法を身につけてほしい。

I. 上の文を読んで、正しいと思う文に〇をつけてください。

1. (　) 時間をうまく使うためには、時間を管理しなければならない。
2. (　) 1日の中で自分がいつ何をしたかを書くのは、どのように時間を使っているか知るためだ。
3. (　) 自分のやることをいつまでにやるか、時間を決めたほうがいい。
4. (　) 自由な生活をすると、1日の生活時間に変化が生まれる。
5. (　) 時間の管理をするようになって、時間を追う生活に変わった。
6. (　) 筆者は時間を気にしないで生活をしたことがない。

II. 次の質問に答えてください。

1. 1日の時間をうまく使うには、何が大切だと言っていますか。
   _____。

2. 時間の管理を始めてから、どうなったと言っていますか。
   _____。

3. 筆者は何を自由だと考えていましたか。
   _____。

第11課 つながる

聞きましょうA　　　　　　　　　　　　　　　　　　　　Disk 2　01, 02

I. 会話を聞いて、質問に答えてください。

1. (　　　) 2. (　　　) 3. (　　　) 4. (　　　) 5. (　　　)

II. もう一度聞いて、書いてください。

A：中村さん、まだ仕事。どうかした。

B：まあね。①＿＿＿＿＿＿＿＿＿＿＿＿＿＿＿＿…。

A：へえ、②＿＿＿＿＿＿＿＿＿＿＿＿＿＿＿。

B：そんなに③＿＿＿＿＿＿＿＿＿＿＿＿＿＿…。④＿＿＿＿＿＿＿＿＿
＿＿＿＿＿＿、＿＿＿＿＿＿＿＿＿＿＿＿＿＿＿＿＿…。

A：あんまりいやなこと言うと、きらわれるよ。⑤＿＿＿＿＿＿＿＿＿＿＿＿＿。

B：ほめるときはもちろんほめますよ。でも、⑥＿＿＿＿＿＿＿＿＿＿＿＿＿＿
＿＿＿＿＿＿から。早く一人前になってほしいと思って、⑦＿＿＿＿＿＿＿
＿＿＿＿＿＿＿＿＿＿＿＿＿＿＿＿＿。

A：そうね。⑧＿＿＿＿＿＿＿＿＿＿＿＿＿＿＿。でも、⑨＿＿＿＿＿＿＿＿＿＿、
＿＿＿＿＿＿＿＿＿＿＿、ほら。

B：石川さんのこと。なつかしい。私もよくしかられたなあ。

A：そうそう。⑩＿＿＿＿＿＿＿＿＿＿＿＿＿＿＿＿＿＿＿。

B：石川さんから言われたことは、今でもよくおぼえてる。「つくえの上のかたづ
けさえできない者に、仕事なんてできない」ってね。

A：今思うと、あのころのせんぱいって、⑪＿＿＿＿＿＿＿＿、＿＿＿＿＿＿＿＿、
＿＿＿＿＿＿＿＿＿＿＿＿＿＿＿＿＿＿＿＿、信頼できたよね。

B：うん、上に立つ者はそうでなくてはね。⑫＿＿＿＿＿＿、＿＿＿＿＿＿＿＿＿＿
＿＿＿＿＿＿＿＿＿＿。部下を思いやって。

A：ま、問題があるのはむこうなんだから、中村さんが悪いわけじゃないと思うけ
ど…。

61

第11課

🔊 聞きましょうB　　　　　　　　　　　　　　　　　　Disk 2　03

Ⅰ. 質問に答えられるように、ノートを取りながら、聞いてください。

1. 「タテ社会」はどんな社会でしたか。
2. 「タテ社会」では、どうして下の者は気楽だったのですか。
3. 自由で平等な今の社会は、どんな社会ですか。
4. 今の社会で、私たちは何をしなければならないと言っていますか。

Ⅱ. ノートを見ながら、書いてください。

1. 「タテ社会」について
    - 「タテ社会」というのは、＿＿＿＿＿＿＿＿＿＿＿＿＿＿＿＿＿＿＿。
    - 多くの人は、＿＿＿＿＿＿＿＿＿＿＿＿＿＿＿＿＿社会だと思っている。
    - しかし、「タテ社会」のほうが＿＿＿＿＿＿＿＿＿＿＿＿＿＿＿＿＿＿＿。

2. 「タテ社会」での生活
    - 上の人とのつながりを大切にしていれば、＿＿＿＿＿＿＿＿＿＿＿＿＿＿。
    - 自分で考えたり決めたりすれば、＿＿＿＿＿＿＿＿＿＿＿＿＿＿＿＿＿。

3. 今の社会について
    - 今は＿＿＿＿＿＿＿＿＿＿社会だ。
    - 自分で考え、＿＿＿＿＿＿＿＿＿＿＿＿＿＿なければならない。
    - ＿＿＿＿＿＿＿＿＿＿＿＿＿＿＿＿＿ができなければ、＿＿＿＿＿＿＿＿
      ＿＿＿＿＿＿＿＿＿＿＿＿。

4. 話している人の意見
    - 自由で平等であるためには、＿＿＿＿＿＿＿＿＿＿＿＿＿＿＿＿＿＿＿＿
      ＿＿＿＿＿必要がある。
    - ひとりひとりが＿＿＿＿＿＿＿＿＿＿＿＿＿＿＿＿＿＿＿＿＿になれば、
      ＿＿＿＿＿＿＿＿＿＿＿＿＿＿社会が作れるのではないかと思う。

✏️ 練習しましょう

Ⅰ. ひらがなは漢字にして、漢字は読み方を書いてください。

1. 昔は男性と女性の①<u>やくわり</u>にはっきりとした区別が②<u>そんざい</u>したという。
    ①（　　　　　）②（　　　　　）

2. ③びょうどうな社会について描いた④えいががテレビで紹介されていた。
　　③(　　　　　)　④(　　　　　　)

3. もう一度調べて⑤かくにんした⑥けっか、公園をなくすことに⑦はんたいだと言う人のほうが多かった。
　　⑤(　　　　　)　⑥(　　　　　　)　⑦(　　　　　　)

4. 娘は高いねつで⑧いきをするのも大変そうなので、学校を休まざるを⑨えない。
　　⑧(　　　　　)　⑨(　　　　　)

5. 部長は⑩上下関係には⑪厳しいが、誰とでも気安く意見を⑫交わすので、部下との間には信頼関係が⑬築かれている。
　　⑩(　　　　　)　⑪(　　　　　　)　⑫(　　　　　　)　⑬(　　　　　　)

6. 今度の問題を⑭扱うときには、⑮自然への影響を⑯真剣に考えなければ、周りに住む人たちの信頼を⑰失うことになる。
　　⑭(　　　　　)　⑮(　　　　　　)　⑯(　　　　　　)　⑰(　　　　　　)

7. ⑱上司の多くは、その制度の⑲廃止を⑳歓迎した。
　　⑱(　　　　　)　⑲(　　　　　　)　⑳(　　　　　　)

8. ふたりはけんかをしてから㉑お互いに口を㉒利こうともせず、いつものおしゃべりはすっかり㉓影をひそめている。
　　㉑(　　　　　)　㉒(　　　　　　)　㉓(　　　　　　)

II．(　　)の中に言葉を入れて、文を作ってください。

1. 私の言ったことが周りの反発を(　　　　　)、会社をやめざるを得なくなった。
2. 確かに新しくてきれいな家だが、こんなに狭くては息が(　　　　　)そうだ。
3. 学生が先生に対して、そんな(　　　　　)を利いてはいけません。
4. しばらく(　　　　　)をひそめていたが、最近またこの病気で亡くなる人が増えているそうだ。
5. (　　　　　)に立つ人間は、自分だけで決めるのではなく、下の人の意見も聞かなければならない。
6. お互いに信頼し(　　　　　)ような仲間でなければ、いっしょに会社を作ることはできない。

III．(　　)に助詞を書いてください。「は」「も」は使えません。

1. せっかく用意した服なのに、結婚式(　　)はふさわしくないと言われた。
2. ちょっとしたこと(　　)交通事故(　　)つながると思うと、恐ろしい。
3. 多くの人からの厳しい意見(　　)反映させることによって、新しい技術(　　)生み出されるのだ。

第11課

4. 上司にとって大事なことは、下の者の意見（　　）受け入れることです。
5. 母は父を亡くしてから、ひとりで私たち兄弟（　　）一人前に育ててくれた。

Ⅳ.【　　】の言葉を正しい形にして、（　　）に入れてください。

1. 開発によって、なつかしい自然の風景が（　　　　）つつある。【失う】
2. 昔から日本は男性が強い社会だと（　　　　）きた。【言う】
3. 世界中どこでも、まずはあいさつを（　　　　）ことから一日が始まる。【交わす】
4. 日本で身分制度が廃止（　　　　）のは、もうずいぶん前のことだ。【する】
5. 以前と違い、最近は部下に厳しい上司は歓迎（　　　　）ないらしい。【する】

Ⅴ.「～につれ、～つつある」という形を練習しましょう。

例
A：上下関係が影をひそめています。その影響でどのようなことが起きていますか。
B：上下関係が影をひそめるにつれ、<u>自由で平等なヨコのつながりを大切にする時代になり</u>つつあります。

1. A：情報技術の開発が進んでいます。その影響でどのようなことが起きていますか。
   B：＿＿＿＿＿＿＿＿＿＿につれ、＿＿＿＿＿＿＿＿＿＿つつあります。

2. A：仕事を持つ母親が増えています。その影響でどのようなことが起きていますか。
   B：＿＿＿＿＿＿＿＿＿＿につれ、＿＿＿＿＿＿＿＿＿＿つつあります。

3. A：インターネットを利用する人が増えています。その影響でどのようなことが起きていますか。
   B：＿＿＿＿＿＿＿＿＿＿につれ、＿＿＿＿＿＿＿＿＿＿つつあります。

4. A：時代が変わっています。その影響で若い人たちの考え方にどのような変化が見られますか。
   B：＿＿＿＿＿＿＿＿＿＿につれ、＿＿＿＿＿＿＿＿＿＿つつあります。

5. A：子供の数が少なくなっています。その影響でどのようなことが起きていますか。
   B：＿＿＿＿＿＿＿＿＿＿につれ、＿＿＿＿＿＿＿＿＿＿つつあります。

読んでみましょう

まだ残っています

　私は高校から大学までずっとサッカーをしていた。スポーツの世界では、せんぱいの意見や命令に対して「間違っています」「いやです」と言うことは難しい。納得できないことでも「はい、わかりました」と言って聞かざるを得ない。そんな息のつまりそうな関係が受け入れられず、やめようと思ったこともあった。それでも、長男がサッカーをしたいと言ったときには、礼儀正しい人間に育ってくれればいいと考えて、思うようにさせた。

　あるとき家に帰ると、妻が私に、長男が食事もせず自分の部屋から出てこないと言う。めったにないことなので気にかかったが、けんかでもしたのだろう。もう中学生なんだから、自分で何とかすればいいと思って様子を見ることにした。シャワーをすましてビールを飲んでいると、「ちょっといい」と言って長男が姿を見せた。「晩ご飯か」とたずねる私に、「ううん。サッカーやめたいんだ」と言って、横にすわった。

　せんぱいとの人間関係が我慢できないと話す長男は、練習に納得できないので、その練習が何の役に立つのかせんぱいにたずねたのだそうだ。そうすると、詳しく説明もしてくれず、「いやなら、やめろ」と言われた。これまでも何回かそんなことがあった。気安く口も利けない、自分の意見さえ聞いてくれないような人間関係はもういやだと言う。長男に、「サッカーしようと自分で決めたんだから、続けるにしろやめるにしろ、自分で決めればいい」と話して、部屋にもどらせた。

　スポーツの世界に私の学生時代と変わらない上下の関係が存在することに、少しおどろいた。会社では、確かに制度としては、肩書に上下関係はあるが、昔のような厳しいタテの関係は、すっかり影をひそめた。上司は部下と意見を交わした上で、それを反映して仕事を進めるのでなければ、部下の反発を買って、いっしょに仕事ができる関係を築くことはできない時代だ。それでも、長男がサッカーで経験したことは、これから先、社会に出て生活するのに役に立つ経験だったのかもしれない。

第11課

I. 上の文を読んで、正しいと思う文に〇をつけてください。

1. (　) 筆者は学生時代、サッカーをやめようと思ったことがある。
2. (　) 筆者は、長男にサッカーをして礼儀正しい人間に育ってほしいと考えていた。
3. (　) 長男はけんかをすると、よく自分の部屋から出てこなくなる。
4. (　) 長男は筆者にサッカーをやめたいとそうだんした。
5. (　) 長男はせんぱいとの人間関係をいやだと思っている。
6. (　) 筆者は長男にサッカーをやめるように言った。
7. (　) スポーツの世界でも、会社でも、厳しい上下関係は今もある。
8. (　) 会社では、厳しい上下関係がないと、いっしょに仕事ができる関係を築くのが難しい。

II. 次の質問に答えてください。

1. 筆者はどうして長男にサッカーをさせようと思ったのですか。
　_____。

2. 長男が自分の部屋から出てこなかったとき、筆者はどうしましたか。
　_____。

3. 長男はどんな人間関係がいやだと言っていますか。
　_____。

4. 筆者は長男の経験をどう思っていますか。
　_____。

第12課 わける

🔊 聞きましょうA　　　　　　　　　　　　　　　　　　　Disk 2 04, 05

Ⅰ. 会話を聞いて、質問に答えてください。

1.(　　　　)　2.(　　　　)　3.(　　　　)　4.(　　　　)　5.(　　　　)

Ⅱ. もう一度聞いて、書いてください。

A：まさこ、おはよう。何してるの。きのうの宿題。

B：違う、違う。これ、見て。

A：何、何。「あなたの性格がこれでわかります」だって。

B：そう。これ、今①＿＿＿＿＿＿＿＿＿＿＿＿＿＿＿＿＿＿。この質問に答えると、自分の性格がわかるんだって。

A：面白そうだね。で、どんな性格だって。

B：その結果を今から見るの。ちょっと読んでみるね。「②＿＿＿＿＿＿＿＿＿＿＿＿＿＿＿＿。③＿＿＿＿＿＿＿＿＿＿、＿＿＿＿＿＿＿＿＿＿＿＿＿」だって。

A：意外だなあ。まさこ、そういうタイプだった。④＿＿＿＿＿＿＿＿＿＿＿＿＿＿＿。
⑤＿＿＿＿＿＿＿＿＿＿＿＿＿＿＿＿＿＿＿＿＿＿＿＿＿。

B：何言ってんの。⑥＿＿＿＿＿＿＿＿＿＿＿、＿＿＿＿＿＿＿＿＿＿＿＿＿＿＿。

A：へえ。⑦＿＿＿＿＿＿＿＿＿＿＿＿、＿＿＿＿、＿＿＿＿＿＿＿＿＿＿。どうして⑧＿＿＿＿＿＿＿＿＿＿＿＿＿＿＿＿＿＿＿。自分の性格なんだから、自分が一番よく知ってるんじゃない。

B：そうかもしれないけど。⑨＿＿＿＿＿＿＿＿＿、＿＿＿＿＿＿＿＿＿＿＿＿＿＿＿からじゃないかな。自分では、⑩＿＿＿＿＿＿＿＿＿＿＿＿＿＿＿＿、＿＿＿＿＿＿＿＿＿＿、
＿＿＿＿＿＿＿＿＿＿思ってるけど、周りの人たちはどう思ってるか、わからないじゃない。自分から⑪「＿＿＿＿＿＿＿＿＿＿」＿＿＿＿＿＿、＿＿＿＿＿＿＿＿＿＿＿＿＿。

A：なるほど。だから性格判断テストをして、自分を知ろうとしているのか。

B：田中君もやってみて。どんな性格か見てあげる。

A：またの機会にしとくよ。⑫＿＿＿＿＿＿＿、＿＿＿＿＿＿＿＿＿＿＿＿＿＿＿＿…。

67

第12課

聞きましょうB　　　　　　　　　　　　　　　　　　　　　　Disk 2　06

Ⅰ. 質問に答えられるように、ノートを取りながら、聞いてください。

1. 話している人は、印象とはどんなものだと言っていますか。
2. 話している人が部屋に入ってきたのを見て、みんなはどう思いましたか。
3. 話している人は、どんな経験をしたと言っていますか。
4. 先生という仕事をするとき、してはいけないことは何だと言っていますか。

Ⅱ. ノートを見ながら、書いてください。

1. 先生が考える印象
    - 印象は、先生という仕事に＿＿＿＿＿＿＿＿＿＿＿＿＿＿＿＿＿＿＿。
    - 印象は時に、＿＿＿＿＿＿＿＿＿＿＿＿＿＿＿＿＿＿＿＿恐ろしいものだ。

2. 印象の根拠
    - 話している人が部屋に入ってくるのを見て、「＿＿＿＿＿＿＿＿＿＿＿＿＿」とか「＿＿＿＿＿＿＿＿＿＿＿」とか思ったに違いない。
    - しかし、何を根拠に＿＿＿＿＿＿＿＿＿＿＿＿だろうか。

3. 先生の経験
    - 印象とは、自分の基準によって、＿＿＿＿＿＿＿＿＿＿＿＿＿＿＿＿ことだ。
    - しかし、生徒の印象についてほかの先生と話すと、＿＿＿＿＿＿＿＿＿＿＿＿＿＿＿＿＿＿＿＿＿経験を何度もしてきた。

4. 注意しなければならないこと
    - 印象は、＿＿＿＿＿＿＿＿＿＿＿＿＿＿＿＿。
    - 先生は、子供たちを相手にするとき、簡単に＿＿＿＿＿＿＿＿＿＿＿＿＿＿＿＿＿＿＿＿＿＿＿ように注意しなければならない。

練習しましょう

Ⅰ. ひらがなは漢字にして、漢字は読み方を書いてください。

1. これを飲めば、痛みを①やわらげることができますが、体には良くない影響を②あたえることもあるので、飲みすぎないでください。
    ①（　　　　　）②（　　　　　）

2. B③がたの人は④せいかくが少し気まぐれな⑤けいこうがあると本に書いてあったが、⑥かがくが進んだこの時代に、そんなことをいったい誰が信じるだろうか。

わける

③(　　　) ④(　　　　) ⑤(　　　　) ⑥(　　　　)

3. きのう会った人にはあまり良い⑦いんしょうが持てない。私が何か言うと何でも⑧はんろんしてくるし、⑨つきあいたくない。

⑦(　　　　) ⑧(　　　　) ⑨(　　　　)

4. リーダーとしての⑩典型は、⑪慎重であると同時にどんなことに対しても⑫冷静でいられるような人だが、私たちのリーダーはそれとは⑬対照的だ。

⑩(　　　　) ⑪(　　　　) ⑫(　　　　) ⑬(　　　　)

5. この問題に対しては、これまで出された個人の意見と、集められた⑭客観的なデータを⑮分けて、それから⑯対策を立てる必要がある。

⑭(　　　　) ⑮(　　　　) ⑯(　　　　)

6. 友達が、手術のときに⑰血液代わりに使うのは、⑱実は、塩水と同じ物なんて言っていたが、何を⑲根拠にあんな話をするんだろう。

⑰(　　　　) ⑱(　　　　) ⑲(　　　　)

II. (　　) の中に言葉を入れて、文を作ってください。

1. 娘は勉強ができなくても、リーダーシップが(　　　　)ので、周りに信頼されているそうだ。
2. ちゃんとあいさつをしないと、人にあまり良い印象を(　　　　)と思います。
3. あの人は思ったことをすぐ(　　　　)にして、人をいやな気持ちにさせる。
4. 姉は(　　　　)が強いからといって、やさしくないというわけではない。
5. この携帯電話は高いと思われていますが、意外に(　　　　)ですよ。
6. この写真の人と田中さんは、一見(　　　　)人のようですが、実は同じ人なんですよ。

III. (　　) に助詞を書いてください。「は」「も」は使えません。

1. 娘は最近、ことわざ(　　)こっていて、いろいろなことを聞いてくる。
2. 父に借りたお金をすぐには返せないので、5回(　　)分けて、返すことにした。
3. 何事(　　)も厳しい兄(　　)は対照的に、弟は楽天的な性格だ。
4. 先生の話では、最近長男は悪い仲間(　　)付き合っているらしい。
5. 昔の日本は上下関係(　　)重んじる社会だったが、最近はそれほどでもないようだ。

IV. 【　】の言葉を正しい形にして、(　　) に入れてください。

1. 自分では一人前だと思っていたが、父に(　　　　)と、私はまだ子供なのだそうだ。【言う】

69

第12課

2. 外見だけで人を判断（　　　　）とすることが多いが、それは良くないことだ。【する】

3. 日本では、初めて（　　　　）人にはあまり年齢は聞かないものだ。【会う】

4. 亡くなってから3年だが、まだ友達がいなくなったことがなかなか（　　　　）。【受け入れる】

5. 初めは自分とは性格や考え方が違うと思っても、（　　　　）みると、意外といい人だったということもある。【付き合う】

V. 「～のは、～からだ」という形を使って、理由を強く言う練習をしましょう。

例

A：どうして日本人は血液型の話をするのでしょうか。
B：少しでも相手のタイプを知った上で付き合いたいと思うからでしょうね。
⇒Bさんは、<u>日本人が血液型の話をする</u>のは、<u>少しでも相手のタイプを知った上で付き合いたいと思う</u>からだと話してくれた。

1. A：電車の中で子供がさわいでいても、どうして親は注意しないのでしょうか。
   B：自分には関係のないことだと思っているからでしょう。
   ⇒Bさんは、＿＿＿＿＿＿＿＿のは、＿＿＿＿＿＿＿＿からだと言った。

2. A：どうして動物のことわざをよく使うのでしょう。
   B：面白く簡単に意味を伝えることができて、便利だから使うのでしょう。
   ⇒Bさんは、＿＿＿＿＿＿＿＿のは、＿＿＿＿＿＿＿＿からだと思っている。

3. A：どうして私たちは外見を気にするのでしょうか。
   B：外見で人を判断することが少なくないからだと思います。
   ⇒Bさんは、＿＿＿＿＿＿＿＿のは、＿＿＿＿＿＿＿＿からだと教えてくれた。

4. A：どうして学生は先生にまるで仲間のような口を利くのでしょうか。
   B：上下関係なんて必要ないと思っているからだと思います。
   ⇒Bさんは、＿＿＿＿＿＿＿＿＿＿＿＿＿のは、＿＿＿＿＿＿＿＿＿＿＿＿＿＿＿＿＿からだと話してくれた。

5. A：どうして管理されているはずの個人情報が他人に知られてしまうのでしょうか。
   B：私たちの知らないところで、個人情報が売られているからです。
   ⇒Bさんは、＿＿＿＿＿＿＿＿＿＿＿＿＿＿＿＿＿＿＿＿のは、＿＿＿＿＿＿＿＿＿＿＿＿＿＿＿＿＿からだと言った。

読んでみましょう

強くはないからです

　「あんないいかげんなもの、信じられない」と言う人もいるが、血液型を使ったタイプ分けに人気があり、それを信じている人も多いという。「血液型なんか」と言う人でも、何か別の方法を使って、周りの人の性格を知ろうとしたり、時には、自分がどんなタイプかを知って納得しようとすることもあるかもしれない。科学的根拠がないことを理由に反論する人が、実は、宗教を信じていることだって、ないとは言えない。

　人間は、遠い昔から、少しでも安全で安心な生活が続けられるよう、いっしょうけんめい努力してきた。自然に助けられて、食べ物を手にし、身につける物を作り、安全な家を建てた。病気やけがをしたときには、木や草の助けを借りた。様々な形で物を与えてくれる自然に対して、長い時間をかけて、人間は自分たちが本当に小さな存在であり、助けがなければ生活できない弱い存在であることを学んだ。

　人間が、外からの助けを借りなければ生活できない弱い存在であることは、今も変わらない。生まれてから一人前になるまでは、父や母に助けられて大きくなる。社会に出るまでも、また、出てからも、家族やせんぱい、友達など周りの人たちの手を借りて歩き続ける。血液型などを使って周りの人をよりよく知ろうとしたり、宗教を信じようとするのは、何かに助けを借りていっしょうけんめい生活を続ける人間の自然な姿なのではないのだろうか。

　便利な物に囲まれた今の生活を見て、人間はもう昔のような弱い存在ではないとの反論もあるだろう。しかし、住む所にしろ、食べる物にしろ、私たちが作った物が増え、生活が楽になったからといって、人間が強くなったと言えるのだろうか。何らかの方法を使って周りの人のことを知ろうとしたり、宗教を信じて生活したりする人が少なくないということは、私たちが変わらず弱い存在であり、何かの助けを必要とする存在であるということを表しているのではないのだろうか。

第12課

I. 上の文を読んで、正しいと思う文に〇を付けてください。

1. (　) 血液型を使ったタイプ分けは、いいかげんだからきらいだと言う人が多い。
2. (　) 血液型を使ったタイプ分けを信じない人は、宗教も信じない。
3. (　) 私たちの生活は自然に守られてきた。
4. (　) 人間は、自然の助けがなければ生活できないことを知っていた。
5. (　) 人間は、大人になってからも誰かの助けが必要だ。
6. (　) 血液型で人を判断するのは、してはいけないことだ。
7. (　) 生活が便利になれば、人間が強くなるとは言えない。
8. (　) 筆者は、人間は今も昔も弱い存在だと思っている。

II. 次の質問に答えてください。

1. 血液型を使ったタイプ分けを信じない人は、何も信じないで生活していますか。
   ＿＿＿＿＿＿＿＿＿＿＿＿＿＿＿＿＿＿＿＿＿＿＿＿＿＿＿＿＿＿＿＿。

2. 人間が自分たちは弱い存在だと知ったのはどうしてですか。
   ＿＿＿＿＿＿＿＿＿＿＿＿＿＿＿＿＿＿＿＿＿＿＿＿＿＿＿＿＿＿＿＿。

3. 筆者は、「人間の自然な姿」とは、どのようなものだと言っていますか。
   ＿＿＿＿＿＿＿＿＿＿＿＿＿＿＿＿＿＿＿＿＿＿＿＿＿＿＿＿＿＿＿＿。

4. 筆者は、どうして人間は弱い存在だと思っているのですか。
   ＿＿＿＿＿＿＿＿＿＿＿＿＿＿＿＿＿＿＿＿＿＿＿＿＿＿＿＿＿＿＿＿。

第13課

おもいだす

聞きましょうA

Disk 2 07, 08

I. 会話を聞いて、質問に答えてください。

1. (　　　　) 2. (　　　　) 3. (　　　　) 4. (　　　　) 5. (　　　　)

II. もう一度聞いて、書いてください。

A：たけし、前に帰ってから何年になる。

B：7年かな。①＿＿＿＿＿＿＿＿＿＿＿＿＿＿＿＿＿＿＿＿＿。兄さんは毎年。

A：長男だからな。1年に1度くらいは帰らないとと思って、子供の夏休みには短くても帰るようにしてる。

B：そうか。しばらく来ない間に、駅の前からここまで、すっかり変わったな。

A：変わっただろう。②＿＿＿＿＿＿＿＿＿＿＿＿＿＿＿＿＿＿＿＿＿、覚えてるか。

B：ああ。③＿＿＿＿＿＿＿＿＿＿＿、＿＿＿＿＿＿＿＿＿＿＿＿。途中からは花火忘れて、④＿＿＿＿＿＿＿＿＿＿＿＿＿＿＿＿＿。毎年楽しみだったな。

A：大人は大人で、「お父さん、はい、ビール」「お、お母さんもどうだ」なんて、機嫌よくやってたな。その花火を、⑤＿＿＿＿＿＿＿＿＿＿＿、＿＿＿＿＿、＿＿＿＿＿＿＿＿＿＿＿＿＿、今は音が聞こえるだけ。

B：これだけ高い建物に囲まれたら、そうだろうな。⑥＿＿＿＿＿＿＿＿＿＿＿＿＿＿＿＿＿＿＿＿＿＿。

A：今でも花火の音を聞くと、ゆかた姿のふたりが⑦＿＿＿＿＿＿＿＿＿＿＿＿、「ああ、おいしい。⑧＿＿＿＿＿＿＿＿＿＿、＿＿＿＿＿＿＿＿＿」なんて、⑨＿＿＿＿＿＿＿＿＿＿＿＿＿＿、＿＿＿＿＿＿＿＿＿＿＿＿。

B：いつもはよくけんかするくせに、どうなってるんだって意外に思ったよな。

A：いつもは⑩＿＿＿＿＿＿＿＿＿＿＿＿＿＿。

B：人間って、⑪＿＿＿＿＿＿＿＿＿＿＿＿＿＿＿。うちの子たちも外国でいろんな経験して、⑫＿＿＿＿＿＿＿＿＿＿＿＿＿＿＿＿＿。

A：子供たちが大きくなって、お互いに思い出を話しているの、聞いてみたいな。

第13課

🔊 聞きましょうB　　　　　　　　　　　　　　　　　　　　　　Disk 2 09

Ⅰ. 質問に答えられるように、ノートを取りながら、聞いてください。

1. 話している人は、ひとりで生活していた時代、ときどきどんなことを思いましたか。
2. 「家庭料理」というかんばんの店の料理はどうでしたか。
3. 「家庭料理」という言葉から連想するのは何だと言っていますか。
4. これからどんな料理を作ると言っていますか。

Ⅱ. ノートを見ながら、書いてください。

1. ひとりで生活をしていた時代
   - なかなか＿＿＿＿＿＿＿＿＿＿＿＿＿＿＿＿＿＿＿＿ので、よく外で食事をした。
   - 毎日＿＿＿＿＿＿＿＿＿＿＿＿＿＿＿＿ので、家庭の味を思い出すことがあった。

2. 「家庭料理」の店
   - 店に入ってみたら、＿＿＿＿＿＿＿＿＿＿＿＿＿＿＿＿＿＿が並んでいた。
   - うれしくなって、＿＿＿＿＿＿＿＿＿＿＿＿＿＿＿＿。
   - 食べてみると、＿＿＿＿＿＿＿＿＿＿＿＿＿＿＿＿＿＿＿＿＿＿。

3. 「家庭料理」について
   - ＿＿＿＿＿＿＿＿＿＿＿＿＿姿や、＿＿＿＿＿＿＿＿＿＿＿＿ことを連想した。
   - 料理の味は＿＿＿＿＿＿＿＿＿＿＿＿＿と思った。
   - そのときの経験が＿＿＿＿＿＿＿＿＿＿＿＿＿になった。

4. これから作る料理
   - 一緒に作りたいのは、＿＿＿＿＿＿＿＿＿＿＿＿＿料理だ。
   - 食べてくれる人が、＿＿＿＿＿＿＿＿＿＿＿＿＿＿＿＿＿＿＿＿＿＿＿
     ＿＿＿＿＿＿＿＿、そんな「家庭料理」をこれから作る。

✏️ 練習しましょう

Ⅰ. ひらがなは漢字にして、漢字は読み方を書いてください。

1. 自分の好きなようにやっていたら、上司に①<u>よびだされ</u>、②<u>しじ</u>された通りにするようにと１時間③<u>あまり</u>もおこられた。

　　　① (　　　　　)　② (　　　　　)　③ (　　　　　)

おもいだす

2. 外で④ゆうすずみをしていると、となりの⑤おたくから魚を⑥やくにおいがしてきた。
④（　　　　）⑤（　　　　）⑥（　　　　）

3. いっしょうけんめい⑦にわの草を⑧ぬいていたら、額から⑨あせが出てきた。
⑦（　　　　）⑧（　　　　）⑨（　　　　）

4. 日本人は⑩うちあげ花火と言うと、夏を⑪れんそうするそうですが、世界には、冬に花火をする国もたくさんあります。
⑩（　　　　）⑪（　　　　）

5. ⑫機嫌がいいときの父は、海にしずむ⑬陽を⑭眺めようと、私たちを⑮連れ出したものだ。
⑫（　　　　）⑬（　　　　）⑭（　　　　）⑮（　　　　）

6. 大きな仕事が終わると⑯解放された気分になって、いつ帰ったのか⑰覚えていないほど、みんなと⑱一緒に飲んだ。あのころが⑲懐かしい。
⑯（　　　　）⑰（　　　　）⑱（　　　　）⑲（　　　　）

7. 前に⑳帰国してから20年になるから当たり前のことだが、空港を出た㉑瞬間、㉒辺りの様子が昔とはすっかり違っていて㉓驚いた。
⑳（　　　　）㉑（　　　　）㉒（　　　　）㉓（　　　　）

8. 花屋で働いていたとき、㉔乾いた㉕土を㉖正確に3キロ、ひとつのふくろに入れて店まで㉗運ぶのは、いつも私の仕事だった。
㉔（　　　　）㉕（　　　　）㉖（　　　　）㉗（　　　　）

Ⅱ. （　）の中に言葉を入れて、文を作ってください。

1. 台所から私を呼ぶ声が（　　　　）が、行ってみたら誰もいなかった。
2. 父は何より好きなビールをごくごくと（　　　　）を鳴らして飲んだ。
3. 妹は「もう歩けない」と言って、その場所に（　　　　）を下ろしてしまった。
4. 子供のころ、庭の花や草木に水を（　　　　）のが私の仕事だった。
5. たばこに火を（　　　　）、おいしそうにすう父の姿を思い出した。
6. 1週間かけてようやくレポートを（　　　　）、先生に出すことができた。

Ⅲ. （　）に助詞を書いてください。「は」「も」は使えません。

1. まだ少し明るさ（　　）残す空（　　）、大きな音で花火が打ち上げられた。
2. 父の言葉（　　）意外だったので、私は姉（　　）顔を見合わせた。
3. 朝からずっとパソコンの前にいるが、これ（　　）終わらせれば、ようやく仕事（　　）解放される。

75

第 13 課

4. たまには山にでも行こうと言って、主人は私（　　）外（　　）連れ出した。
5. 子供のころ、母（　　）おかし（　　）ねだると、よく「じゃ、半分だけね」と言われたものだ。

Ⅳ.【　　】の言葉を正しい形にして、（　　）に入れてください。

1. 飛行機事故の原因が鳥だったことは、多くの人を（　　　　）。【驚く】
2. 小学生のころ、私はよく母に料理の手伝いを（　　　　）ものだ。【する】
3. さっきまで（　　　　）切った顔をしていた父は、ビールを飲むと、「生き返った」と言ってにっこりした。【疲れる】
4. 妻にじっと（　　　　）と、何となく恐ろしい気がする。【見つめる】
5. 夜の10時に友達から電話がかかってきて、公園に（　　　　）。【呼び出す】

Ⅴ.「〜わけではないが」という形を、いろいろな言い方と一緒に使う練習をしましょう。

> 例
>
> 昔のことをすべて覚えているわけではないが、何かがきっかけになって、ふと思い出すことがある。

1. いつも＿＿＿＿＿＿＿＿＿＿＿＿わけではないが、時間があるときは、できるだけ＿＿＿＿＿＿＿＿＿＿＿＿ことにしている。
2. 全員＿＿＿＿＿＿＿＿＿＿＿＿わけではないが、＿＿＿＿＿＿＿＿＿＿＿＿＿＿＿＿＿＿＿＿＿＿のではないかと思う。
3. 日本人がみんな＿＿＿＿＿＿＿＿＿＿＿＿わけではないが、私の周りでは、＿＿＿＿＿＿＿＿＿＿＿＿人が多い。
4. すべて＿＿＿＿＿＿＿＿＿＿＿＿わけではないが、＿＿＿＿＿＿＿＿＿＿＿＿のは間違いない。
5. インターネットで何でも＿＿＿＿＿＿＿＿＿＿＿＿わけではないが、＿＿＿＿＿＿＿＿＿＿＿＿のにはとても便利だ。

読んでみましょう

母の日に父の日も

　働き始めて最初の母の日、私はきれいなリボンの付いた赤い花を買った。プレゼントを手にした母は、一瞬笑おうとしたようだったが、「さあ、食事の準備」と言って、私の前からいなくなった。私はわけがわからなくて、機嫌が悪いのだろうか、それとも、私のプレゼントがうれしくて、泣きそうになった顔を見られたくなかったのだろうかと、いろいろ考えつつ、何となく納得できないまま、自分の部屋に入った。

　母の声がして、食事にしようと言う。「サラダはこんなふうにしたほうが…」と料理を並べながら、「さっきはごめんね」と言う母の目が、赤くなっていた。「プレゼントぐらいで、泣くことないでしょう」と言う私に、「ううん、そうじゃないの」と言って手を止め、腰を下ろすと、母は自分の父のことを話し始めた。

　私の母は父親に育てられた。母親が早く亡くなり、さびしい思いをさせてはいけないと、父親が母親の役割もして、私の母をいっしょうけんめい育てた。母は大学に行きたかったそうだが、父親に楽をさせようと、「勉強は好きじゃないから」と言って、高校を卒業すると働き始めた。その話は前にも聞いていたが、母が小学生のころに描いた花の絵のことは、初めて聞く話だった。

　ある年の「母の日」のこと。「これ、お父さんにプレゼント。私にはあげる人がいないから」と小学生だった私の母は、父親の前に1まいの絵を置いた。手にした絵をしばらく見ていた父親は、「じょうずに」と言うと、後は言葉にできないままで、部屋を出て行ったと言う。母が結婚してすぐ、安心したように亡くなった父親の部屋から、小学校のときに、父にプレゼントした赤い花の絵が出てきた。花の絵の横に、「じょうずに描けたね」と、父が言えずじまいだった言葉が残されていた。懐かしい父の字だった。「母の日に父親のことを思い出すなんてね」母はそう言って、テーブルに置かれた赤い花をじっと見つめていた。

第13課

I. 上の文を読んで、正しいと思う文に○を付けてください。

1. (　) 母はプレゼントをもらっても喜んだ様子ではなかった。
2. (　) 筆者はうれしい気持ちで自分の部屋に行った。
3. (　) 母は食事のとき、「プレゼントありがとう」とお礼を言った。
4. (　) 筆者は母の目を見て、泣いていたと思った。
5. (　) 母は自分の父親に「大学へ行かせてほしい」と言った。
6. (　) 母は勉強がきらいだった。
7. (　) 母は自分の父親のために花の絵を描いたことがある。
8. (　) 父親は母の描いた絵を大切にしていた。

II. 次の質問に答えてください。

1. プレゼントを手にした母は、どうして笑わなかったのですか。
   _____。

2. 母は、どうして「さっきはごめんね」と言ったのですか。
   _____。

3. 母は、父親にどんな気持ちで「勉強は好きじゃない」と言いましたか。
   _____。

4. 父親は、どんな気持ちで「じょうずに描けたね」と書いたと思いますか。
   _____。

第14課

みなおす

聞きましょうA　　　　　　　　　　　　　　　　　　　　　　Disk 2 10, 11

Ⅰ. 会話を聞いて、質問に答えてください。

1. (　　　　) 2. (　　　　) 3. (　　　　) 4. (　　　　) 5. (　　　　)

Ⅱ. もう一度聞いて、書いてください。

A：お疲れ様。今帰りなの。おそいのね。

B：ああ、お疲れ様です。ちょっと出張の準備してたので。

A：忙しそうね。あれ、寒い。なんか急に寒くなったんじゃない。

B：①＿＿＿＿＿＿＿＿＿＿＿＿＿＿＿。雨もふるって。山口さん、かさ、持ってます。

A：ううん、持ってない。野村さん、②＿＿＿＿＿＿＿＿＿＿＿＿＿＿＿＿。

B：ええ、③＿＿＿＿＿＿＿＿＿＿、＿＿＿＿＿＿＿＿＿。最近の④＿＿＿＿＿＿＿＿
　　＿＿＿＿＿＿、見たほうがいいですよ。⑤＿＿＿＿＿＿＿＿＿＿＿＿＿＿＿＿＿。

A：まあ、そうなんだけど、一日中建物の中で仕事してるから…。

B：ぼくはひとりですから、せんたくするのも買い物するのも、1週間の天気予報を見て決めるんです。

A：せんたくはわかるけど、買い物も。

B：ええ、⑥＿＿＿＿＿＿＿＿＿＿＿＿＿＿＿。だから⑦＿＿＿＿＿＿＿＿＿、＿＿＿＿＿＿＿
　　＿＿＿＿＿＿。それで、ぼくはわざわざ雨の日に買い物することにしてるんです。

A：なるほど、生活の知恵ね。ところで、出張はいつから。

B：1週間後です。ああ、⑧＿＿＿＿＿＿＿＿＿＿＿＿＿＿＿＿＿＿＿＿＿＿＿＿。

A：何、⑨＿＿＿＿＿＿＿＿＿＿＿＿＿＿＿＿＿＿＿＿＿。

B：もちろんそうですよ。⑩＿＿＿＿＿＿＿＿＿＿＿＿＿＿、＿＿＿＿＿＿＿＿＿＿＿＿、
　　今週、異常なほど雨がふって、町は洪水のようになっているらしいんです。

A：へえ、それは大変ね。新しい商品を宣伝するために、パーティーをするんでしょ。

B：ええ。でも雨の影響で、⑪＿＿＿＿＿＿＿＿＿＿＿＿＿＿＿、＿＿＿＿＿＿＿＿＿＿…。

A：最後はあれよ、てるてるぼうず。⑫＿＿＿＿＿＿＿＿＿＿＿＿＿＿＿＿。

79

第14課

聞きましょうB　　　　　　　　　　　　　　　　　　　　　　　　　Disk 2　12

I. 質問に答えられるように、ノートを取りながら、聞いてください。

1. 気象観測の仕事は、今、どのように変わりましたか。
2. 以前の予報の出し方はどうでしたか。
3. 予報が外れたとき、以前と今とでどう違いますか。
4. 話している人は、今の予報の出し方をどう思っていますか。

II. ノートを見ながら、書いてください。

1. 最近の天気予報
    - 異常な雨や台風のとき、できるだけ早くから＿＿＿＿＿＿＿＿＿＿＿＿＿＿＿＿＿。
    - それは、＿＿＿＿＿＿＿＿＿＿＿＿＿＿＿＿＿＿＿＿＿ためだ。
    - ＿＿＿＿＿＿＿＿＿＿＿＿＿＿＿＿＿＿＿ことをまず考えるからだ。

2. 以前の予報
    - ＿＿＿＿＿＿＿＿＿＿＿＿＿＿＿＿＿＿＿＿＿＿＿＿＿ので、慎重だった。
    - じっさいに、予報が外れたときは、＿＿＿＿＿＿＿＿＿＿＿＿＿＿＿＿
      ＿＿＿＿＿＿＿。

3. 最近の様子
    - 予報が外れて、安全対策が＿＿＿＿＿＿＿＿＿＿＿＿＿＿こともある。
    - それでも、「注意しろ」というような＿＿＿＿＿＿＿＿＿＿＿＿＿＿＿。
    - それは＿＿＿＿＿＿＿＿＿＿＿＿＿＿＿＿＿＿＿＿からだろう。

4. 話している人の考え
    - 昔の人は台風や大雨のとき、＿＿＿＿＿＿＿＿＿＿＿＿＿＿＿＿＿＿＿。
    - それは昔の人の＿＿＿＿＿＿＿＿＿＿＿＿＿＿＿＿＿＿＿。
    - 今の予報もそれに学び、＿＿＿＿＿＿＿＿＿＿＿＿＿＿＿＿＿と思う。

練習しましょう

I. ひらがなは漢字にして、漢字は読み方を書いてください。

1. 雪の多い日には、①いのちを②おとすような事故も少なくないので、安全を③だいいちに考えて行動することが④かかせない。

   ① (　　　　　) ② (　　　　　) ③ (　　　　　) ④ (　　　　　)

2. 気象⑤よそくで大切なことは、天気の⑥ほうそくを知ることだ。そのためには、まず、⑦くもの⑧ながれと天気の関係を理解することだそうだ。

⑤ (　　　　　) ⑥ (　　　　　) ⑦ (　　　　　) ⑧ (　　　　　)

3. 今の⑨きせつはまつりの⑩じきで、日本⑪かくちで様々なまつりがある。

⑨ (　　　　　) ⑩ (　　　　　) ⑪ (　　　　　)

4. 今年は⑫異常気象で⑬晴れた日が少なく、⑭農作業が影響を受け、米の⑮収穫もおくれると言われている。

⑫ (　　　　　) ⑬ (　　　　　) ⑭ (　　　　　) ⑮ (　　　　　)

5. ⑯神にいのるしかなかった時代の人たちには、⑰観察を続け、集めたデータを⑱見直して⑲洪水対策を立てる今のやり方は、とても信じられないだろう。

⑯ (　　　　　) ⑰ (　　　　　) ⑱ (　　　　　) ⑲ (　　　　　)

6. みんなの⑳知恵と努力㉑次第で、新しい機械の開発も難しくないはずだから、まず㉒一歩、前を㉓向いて進むことが大切だ。

⑳ (　　　　　) ㉑ (　　　　　) ㉒ (　　　　　) ㉓ (　　　　　)

II. （　）の中に言葉を入れて、文を作ってください。

1. あの人の言うことは当てに（　　　　　）ないから、自分で調べたほうがいい。
2. 夏が来るたびに、飛行機事故で命を（　　　　　）兄を思い出す。
3. あの子が泣き始めたら、私ではとても（　　　　　）におえない。
4. 3月になれば山の雪も（　　　　　）、だんだんあたたかくなるだろう。
5. （　　　　　）が進歩したことによって、簡単な手術なら入院しなくても良くなった。

III. （　）に助詞を書いてください。「は」「も」は使えません。

1. 火事のときはあわてず、指示（　）したがって、行動してください。
2. 日本料理を作るの（　）しょうゆとみそは欠かせない。
3. 服（　）よごして帰ってきた子供（　）、母親は笑いながら「もう、また」と言った。
4. 子供の病気（　）早く良くなるようにと、母親は神（　）いのり続けた。
5. 各地で異常気象（　）続いているが、人間は自然（　）の調和を大切にしていくべきだろう。

IV. 【　】の言葉を正しい形にして、（　）に入れてください。

1. 季節外れの台風が雨を（　　　　　）、各地に影響を与えた。【ふる】

第14課

2. 洪水によって多くの命が（　　　　）が、国は一日も早く対策を立てるべきだろう。【失う】

3. 父に、大学に行くにしろ行かないにしろ、もう一度よく（　　　　）みなさいと言われた。【考える】

4. インターネットを利用（　　　　）ば、いつでもどこでも天気予報が見られるようになった。【する】

5. 突然の事故によって子供たちの命を（　　　　）親の気持ちはどのようなものだろうか。【うばう】

V. 「～はもちろん～だが、」と言った後で、別の情報を伝える練習をしましょう。

> **例**
> <u>仕事をいっしょうけんめいすること</u>はもちろん大切なことだが、時には<u>ゆっくり休むこと</u>も必要だ。

1. ＿＿＿＿＿＿はもちろん続けるべきだが、時には＿＿＿＿＿＿＿＿＿。
2. ＿＿＿＿＿＿＿＿＿＿＿＿＿＿＿はもちろん理解できるが、時には＿＿＿＿＿＿＿＿＿＿＿＿＿＿。
3. ＿＿＿＿＿＿はもちろん便利だが、時には＿＿＿＿＿＿＿＿＿＿。
4. ＿＿＿＿＿＿はもちろん大変だが、時には＿＿＿＿＿＿＿＿＿＿。
5. ＿＿＿＿＿＿はもちろん気にしなければいけないことだが、時には＿＿＿＿＿＿＿＿＿＿＿＿＿。

読んでみましょう

お天気屋

　コンビニやスーパーでは、「気温が22度に上がるとビールがよく売れ、18度以下になるとおでんが売れる」などという商品管理はもう当たり前のことだ。そのほかにも、服や化粧品など生活に必要な多くの商品がいつ、どのぐらい売れるかは、天気や気温に大きな影響を受ける。また、天気次第で人間の行動も変わるので、今、気象情報は仕事の場でも欠かせないものとなっている。

　気象情報が様々な仕事の場で使われるようになるにつれて、これまでは必要とされなかった情報や、より詳しい情報が求められるようになり、気象情報を扱う会社が作られ始めた。利用する側が必要とする情報を伝える、それまでは見られなかった新しい形の会社ができたわけだ。そして、1993年には、国が出す気象データを自由に利用できるようになるとともに、様々な会社から予報が出されるようになった。

　初めは、飛行機や船の安全管理をするために、より詳しい情報を必要とする機関や、人々を台風や洪水から守るために、各地に必要な気象情報を送ったりすることが多かったが、最近は、個人の利用者も増え、いろいろと面白い予報を出している。たとえば、マラソンをする人のために、気温や風の向きを知らせる「マラソン予報」や、交通事故の起こりやすい天気を知らせる「交通事故予報」などもあるそうだ。また、気象の変化によって影響を受ける病気を持つ人のための情報も伝えられている。

　国から出される気象データを使って、必要とする人たちのために、より利用しやすくした情報を売る「お天気屋」が出てきた。「あの人はお天気屋だ」などと言うのは「あの人は気まぐれで、当てにならない」という意味だが、今の「お天気屋」は、仕事をする上で役に立つ、詳しく正確な情報、あるいは、個人の求める便利な情報を伝えるために、研究している。天気予報をどう聞き、どう使うか、新しい「お天気屋」が役に立つ場面は、まだまだあるはずだ。

第 14 課

I. 上の文を読んで、正しいと思う文に〇を付けてください。

1. (　) 気温によって売れる商品が違う。
2. (　) 化粧品は天気や気温に関係なく売れる。
3. (　) 気象情報が様々な仕事の場で使われるようになったのは1993年からだ。
4. (　) 1993年より前には、気象情報を扱う会社は存在しなかった。
5. (　) 気象情報を扱う会社は、最近は個人の利用者だけに情報を伝えている。
6. (　) マラソンに良い日や交通事故の起こりやすい日も予測することができる。
7. (　) 気象情報を扱う会社の情報は当てにならない。
8. (　) 気象情報を扱う会社の仕事は、これからも増える。

II. 次の質問に答えてください。

1. 気象情報が仕事の場で欠かせないものとなっているのはどうしてですか。
   _____。

2. 気象情報が様々な仕事の場で使われるようになって、どんなことが起こりましたか。
   _____。

3. 気象情報を扱う会社は、個人利用者のためにどんな情報を伝えていますか。
   _____。

4. 気象情報を扱う会社では、どのような情報を売っているのですか。
   _____。

第15課

ふれあう

聞きましょうＡ　　Disk 2 13, 14

Ⅰ. 会話を聞いて、質問に答えてください。

1. (　　　)　2. (　　　)　3. (　　　)　4. (　　　)　5. (　　　)

Ⅱ. もう一度聞いて、書いてください。

A：先生、お話ありがとうございました。①＿＿＿＿＿＿＿＿＿＿＿＿＿＿＿＿＿＿＿。

B：そうですか。それは良かったです。

A：先生にひとつだけおたずねしたいことがあるのです。先生はアジアをはじめ、②＿＿＿＿＿＿＿＿＿＿＿＿＿＿＿＿＿＿＿＿、旅をすることには③＿＿＿＿＿＿＿＿＿＿＿＿＿＿＿＿＿＿＿＿＿＿。

B：旅をする意味ですか。そうですね。④＿＿＿＿＿＿＿＿＿＿＿＿＿＿＿＿＿＿＿＿＿。これは私の意見ですが、旅をすることは、⑤＿＿＿＿＿＿＿＿＿＿＿＿＿＿＿＿＿＿＿＿＿＿。旅をすれば、⑥＿＿＿＿＿＿＿＿＿＿＿＿、＿＿＿＿＿＿＿＿＿＿＿＿＿＿＿＿＿。それが自分の新しい経験となります。

A：「新しい経験」ですか。

B：そうです。⑦＿＿＿＿＿＿＿＿＿＿＿＿、＿＿＿＿＿＿＿＿＿＿＿＿＿＿＿＿＿＿＿＿＿を身につけることができるようになるのではないかと思います。

A：ああ、先生が講演の中でおっしゃっていた「自分のにおいに気がつく」というのも、⑧＿＿＿＿＿＿＿＿＿＿＿＿＿＿＿＿＿＿＿＿＿＿＿＿＿＿＿＿＿。

B：ええ、そうです。こうして言葉にすると簡単そうに聞こえるのですが、⑨＿＿＿＿＿＿＿＿＿＿＿＿＿＿＿＿、＿＿＿＿＿＿＿＿＿＿＿＿＿＿＿＿＿。

A：私は先生のように⑩＿＿＿＿＿＿＿＿＿＿＿＿＿＿＿＿＿＿＿＿＿＿＿＿＿＿＿＿＿、今日のお話をうかがって、⑪＿＿＿＿＿＿＿＿＿＿＿＿＿＿＿＿＿＿＿＿＿＿＿＿。

B：そうですか。⑫＿＿＿＿＿＿＿＿＿＿＿＿＿、＿＿＿＿＿＿＿＿＿＿＿＿＿＿＿＿＿＿＿＿。

A：はい、ありがとうございます。

85

第15課

🔊 聞きましょうB　　　　　　　　　　　　　　　　　　　　Disk 2 15

Ⅰ. 質問に答えられるように、ノートを取りながら、聞いてください。

1. 話している人は、学生時代、先生に何と言われましたか。
2. 話している人は、はっきりした季節がないことをどのように思いましたか。
3. 「季節があるので生活に変化がある」とはどういう意味ですか。
4. 話している人が一番伝えたいことは何ですか。

Ⅱ. ノートを見ながら、書いてください。

1. 大学生のときに言われた言葉
   ◆学生時代に「＿＿＿＿＿＿＿＿＿＿＿＿＿＿＿＿」と言われたが、どういう意味か＿＿＿＿＿＿＿＿＿＿＿＿。
   ◆今は自分の学生に＿＿＿＿＿＿＿＿＿＿＿＿＿＿＿＿を伝えている。

2. 留学生活でのこと
   ◆留学したのは、＿＿＿＿＿＿＿＿＿＿＿＿＿＿＿＿＿＿＿＿＿＿＿所だった。
   ◆最初はそれをうれしいと思っていたが、だんだん＿＿＿＿＿＿＿＿＿＿＿＿と思うようになった。
   ◆後になって、その理由は、＿＿＿＿＿＿＿＿＿＿＿＿＿＿＿＿＿＿＿＿＿からだとわかった。

3. 日本に帰ってから気がついたこと
   ◆私たちは、＿＿＿＿＿＿＿＿＿＿＿＿＿＿＿＿＿＿＿＿ことがたくさんある。
   ◆これが、＿＿＿＿＿＿＿＿＿＿＿＿＿＿＿＿＿＿＿＿＿ということである。

4. 話している人が伝えたいこと
   ◆海外に行くと、＿＿＿＿＿＿＿＿＿＿＿＿＿＿＿＿＿＿＿＿ことが見えてくる。
   ◆皆さんにも、＿＿＿＿＿＿＿＿＿＿＿＿＿＿＿＿＿＿＿＿てほしい。

✏️ 練習しましょう

Ⅰ. ひらがなは漢字にして、漢字は読み方を書いてください。

1. 外国で①こうえんしてほしいと②いらいを受けたが、とても行けそうになかったので、次の機会にしてもらいたいと③たのんだ。
   ①（　　　　　）　②（　　　　　）　③（　　　　　）

2. 目を④とじて話を聞く⑤りゅうがくせいの⑥ひょうじょうから、ニュースが間違いであってほしいと⑦ねがっている気持ちが伝わった。
　　④(　　　　　) ⑤(　　　　　) ⑥(　　　　　) ⑦(　　　　　)

3. 山田さんは、⑧はずかしいときには⑨どくとくの顔をするのですぐわかる。
　　⑧(　　　　　) ⑨(　　　　　)

4. ⑩著者は年齢を⑪重ねることの意味について話し、スピーチを⑫締めくくった。
　　⑩(　　　　　) ⑪(　　　　　) ⑫(　　　　　)

5. 大きな⑬拍手とともに会場に入ったA氏は、場を⑭和ませるため、⑮冒頭でちょっとした面白い話を⑯添えた。
　　⑬(　　　　　) ⑭(　　　　　) ⑮(　　　　　) ⑯(　　　　　)

6. お弁当を⑰詰める前には、まず手を洗って⑱清潔にしてください。
　　⑰(　　　　　) ⑱(　　　　　)

7. 私の⑲何気ない⑳問いかけが意外だったのか、兄はグラスを㉑傾けたまま、しばらくの間㉒黙り込んでいた。
　　⑲(　　　　　) ⑳(　　　　　) ㉑(　　　　　) ㉒(　　　　　)

II. (　)の中に言葉を入れて、文を作ってください。

1. 本当は旅行はあまり好きではなかったが、みんなと(　　　　　)を合わせた。
2. 店には有名なワインをはじめ、おいしいお酒がたくさんあったので、調子に(　　　　　)、つい飲みすぎてしまった。
3. ラジオから流れてきた懐かしい音楽に、知らず知らずのうちに(　　　　　)を傾けていた。
4. 目が回るほど忙しく、外が暗くなっていることに(　　　　　)がつかなかった。
5. (　　　　　)が見えるようになるためには、自分の目で見て、耳で聞き、様々な経験を重ねることが必要だ。
6. お酒を飲んでいたとはいえ、相手に失礼なことを思わず(　　　　　)しまった。

III. (　)に助詞を書いてください。「は」「も」は使えません。

1. この店自慢の料理(　　)は、小さい花(　　)添えられていた。
2. 娘はかばん(　　)荷物(　　)たくさん詰めて、海外旅行に出かけた。
3. 旅の途中で知り合った若者(　　)気(　　)合って、一緒に旅をすることになった。
4. 夫は仕事(　　)世界中(　　)飛び回っていて、お互いにゆっくり話をする時間がない。

第 15 課

5. 大学の先生（　　）情報管理社会についての講演（　　）依頼した。

Ⅳ. 【　】の言葉を正しい形にして、（　）に入れてください。

1. みんないらしていたが、上司のちょっとした一言で場が（　　　　）。【和む】
2. 毎日厳しい練習を（　　　　）きたのだから、かてないわけがない。【重ねる】
3. 私は今まで、となりの人は東京の人だと（　　　　）。【思い込む】
4. 外国の若者たちと（　　　　）ことがきっかけで、少しものの考え方が変わった。【出会う】
5. 私は今までいい気になっていて、自分が周りの人からどう見られているかなんて、考えても（　　　　）。【みる】

Ⅴ. 「～ことなど思ってもみなかった」という形を使って、意外な気持ちを伝える文を作りましょう。

例

入院した私を心配して学生が電話をしてくれた。意外なことで驚いた。
⇒<u>入院した私を心配して学生が電話をしてくれる</u>ことなど思ってもみなかった。

1. 社長から、4月から部長にすると言われた。意外なことで驚いた。
　　⇒_____ことなど思ってもみなかった。
2. ひとりで楽しく生活していた山田さんが、結婚するとれんらくしてきた。意外なことで驚いた。
　　⇒_____ことなど思ってもみなかった。
3. 夫が急に仕事をやめると言ってきた。意外なことで驚いた。
　　⇒_____ことなど思ってもみなかった。
4. いつも元気な田中さんが、_____。意外なことで驚いた。
　　⇒_____ことなど思ってもみなかった。
5. 日本語が上手な学生が、_____。意外なことで驚いた。
　　⇒_____ことなど思ってもみなかった。

読んでみましょう

旅の雨

　8月のフィリピンで、前が見えないほど強い雨に何度か出会った。慣れているはずのフィリピンの人たちも、さすがにどこかに入って待たざるを得ないような雨だ。知らぬ間に、道のここでもそこでも小さな洪水が起きている。そんな雨が夜寝ているときにふると、もっと驚かされる。じしんのような音とともに突然ふり始める。強い雨が長く続くことはあまりないが、ふっている間のあの音は、言葉で何と表せばいいのか。何度か経験してそんな雨に慣れるまでは、思わず部屋を出てどこかへにげようかと思ったことさえある。

　7月のネパールでも、同じように突然雨がふった。あわてて近くの木の下に入ったのだが、そのとき不思議な風景に出会った。牛も犬も、大きな木の下でじっとして動かない。さっきまでにぎやかだった鳥たちも、今はどこかで休んでいるのだろうか、声がしなくなった。まるですべてが止まってしまったような中で、雨の音が続いている。すっかり静かになって聞こえるのは、雨の音だけ。人も鳥や動物も、じっと雨がやむのを待つ、静かな雨の風景だった。

　静かな雨といえば、2月のインドネシアでは、音のない雨というものを初めて体験した。米ややさいを実らせる土にふる雨に音がない。もっともっと水が必要だからと、それまで乾き切っていた土が急いで水を飲み続ける様子とでも言えばいいのだろうか。耳を傾けても、ふり続ける雨は音もなく、土の中に消えていく。それまで、私が体験したことのない世界だった。

　自分の国にいても雨はふる。じっと雨を見ることもある。しかし、雨が見せてくれるその土地独特の風景として、印象に残ることはない。どこかで雨がやむのを待ちながら、雨と人間、自然と人間の関係を考えたりすることもない。毎日の生活の中で、すっかり当たり前になってしまっていることを、違う場所でもう一度考えてみる。私の旅は、そんな旅だ。

第15課

Ⅰ. 上の文を読んで、正しいと思う文に○を付けてください。

1. （　）フィリピンの雨はとても強く、音も大きい。
2. （　）寝ているときに突然雨がふってきて、にげ出したことがある。
3. （　）ネパールでは、雨がふると、動物や鳥は雨がやむまでじっと待っている。
4. （　）ネパールの雨は音がしないので静かだ。
5. （　）筆者は、インドネシアのような雨を日本で体験したことがある。
6. （　）インドネシアでは、雨がふると雨の音しか聞こえず、静かになる。
7. （　）筆者は、いろいろな雨を見るため、世界中を旅して回っている。
8. （　）筆者は、旅は当たり前になっていることを考え直す良い機会だと考えている。

Ⅱ. 次の質問に答えてください。

1. 筆者は、どうしてフィリピンの雨に驚かされたのですか。
   _____。

2. ネパールで見た不思議な風景とは、どのようなものですか。
   _____。

3. フィリピンの雨とインドネシアの雨とでは、何が違いますか。
   _____。

4. 筆者は、旅先でどんなことを考えると言っていますか。
   _____。

第16課 うたう

聞きましょうＡ　　Disk 2 16, 17

Ⅰ．会話を聞いて、質問に答えてください。
1. (　　　　)　2. (　　　　)　3. (　　　　)　4. (　　　　)　5. (　　　　　)

Ⅱ．もう一度聞いて、書いてください。

A：さち、よそに聞こえるから、①＿＿＿＿＿＿＿＿＿＿＿＿＿、＿＿＿＿＿＿＿＿＿。

B：いやになるな、②＿＿＿＿＿＿＿＿＿＿＿＿＿＿＿＿＿＿。私、さっきからずっと待ってるのに。

A：いいじゃないの。ああして、③＿＿＿＿＿＿＿＿＿＿＿＿＿、＿＿＿＿＿＿＿＿＿＿＿＿＿＿＿＿。仕事では大変な立場なんだから。

B：うん。でも、童謡歌うなんて、めずらしいね。④＿＿＿＿＿＿＿＿＿＿＿＿＿、＿＿＿＿＿＿＿＿＿＿＿＿。

A：「よその国」か。夢があっていいじゃない、童謡って。⑤＿＿＿＿＿＿＿＿＿＿＿＿＿＿＿＿＿。…いってみたいな　よそのくに…

B：やだ、お母さんまで。子供のときに学校で習ったの、その歌。

A：どうだったかしら。もう忘れてしまったわ。さちはどこで習ったの。

B：お母さんが⑥＿＿＿＿＿＿＿＿＿＿＿＿＿＿＿＿。⑦＿＿＿＿＿＿＿＿＿＿＿。

A：ああ、そうだった。さちが小さいころ、⑧＿＿＿＿＿＿＿＿＿＿＿＿＿＿、＿＿＿＿＿＿＿＿＿＿＿＿＿＿。声合わせて⑨＿＿＿＿＿＿＿＿＿＿＿＿、＿＿＿＿＿＿＿＿＿＿＿＿。

B：でも、なんか不思議だな。お母さんと私、⑩＿＿＿＿＿＿＿＿＿＿＿＿、＿＿＿＿＿＿＿＿＿＿。その歌を聞いて、子供のころの話をしてる。⑪＿＿＿＿＿＿＿＿＿＿＿＿＿＿＿＿＿＿。

A：あら、お父さん、おふろから出たようよ。

B：じゃ、⑫＿＿＿＿＿＿＿＿＿＿＿＿＿＿＿＿。

A：小さな声でお願いしますよ。

91

第 16 課

聞きましょう B　　　　　　　　　　　　　　　　　　　　Disk 2 18

Ⅰ. 質問に答えられるように、ノートを取りながら、聞いてください。

1. 話している人は、最初の 3 か月間、どのようにすごしていましたか。
2. せんぱいの送別会では、みんなで何をしましたか。
3. 話している人は、学生から何に誘われ、どうしましたか。
4. せんぱいはどんな話をしましたか。

Ⅱ. ノートを見ながら、書いてください。

1. 最初の 3 か月間
   - 生活になじめず、じゅぎょうも＿＿＿＿＿＿＿＿＿＿＿＿＿＿＿＿＿＿。
   - 休みの日も＿＿＿＿＿＿＿＿＿＿＿＿＿＿＿＿＿＿＿。
   - ある日、＿＿＿＿＿＿＿＿＿＿＿＿＿＿＿ことになった。

2. 送別会が始まって
   - 人が集まる場所が苦手で、みんなから離れた所にいて、＿＿＿＿＿＿＿＿＿＿＿＿
     ＿＿＿＿＿＿＿たり、＿＿＿＿＿＿＿＿＿＿だりしていた。
   - 歌が始まったが、へたなので、できるだけみんなに＿＿＿＿＿＿＿＿＿＿＿＿＿＿。

3. おどりが始まって
   - おどりが始まったが、＿＿＿＿＿＿＿＿＿＿＿＿＿＿＿＿ので、すわっていた。
   - 学生に誘われ、＿＿＿＿＿＿＿＿＿＿＿＿＿＿＿＿＿＿＿＿＿＿＿。

4. せんぱいの話
   - せんぱいは「歌ったりおどったりして、＿＿＿＿＿＿＿＿＿＿＿＿経験が大切だ。
     そうすれば、＿＿＿＿＿＿＿＿＿＿＿＿＿＿＿＿＿＿」とはげましてくれた。
   - 少し自信が出てきて、この送別会は＿＿＿＿＿＿＿＿＿＿＿＿＿＿＿＿＿＿＿。

練習しましょう

Ⅰ. ひらがなは漢字にして、漢字は読み方を書いてください。

1. もう 3 年前のことだが、静かな時間を①もとめて出かけた美しい②はまの景色が、今もきのうのことのように目に③うかぶ。
   ①（　　　　　）　②（　　　　　　）　③（　　　　　　）

うたう

2. 兄は絵が何よりも④にがてだと言うが、海に⑤しずむ陽を⑥えがき、大会で一番に選ばれたことがある。
　　④(　　　　　) ⑤(　　　　　) ⑥(　　　　　)

3. お世話になった先生のたんじょう日を⑦いわう会に⑧さんかしたが、人が多くて、先生にゆっくりあいさつすることもできなかった。
　　⑦(　　　　　) ⑧(　　　　　)

4. ⑨そうぞう以上に忙しい仕事に⑩たえられず、一日も早くやめたいのだが、上司にそのことを言う⑪ゆうきがない。
　　⑨(　　　　　) ⑩(　　　　　) ⑪(　　　　　)

5. ⑫送別会では、最後にみんなで⑬童謡を歌い、忘れ⑭難い夜となった。
　　⑫(　　　　　) ⑬(　　　　　) ⑭(　　　　　)

6. 友達に⑮誘われて、山で花を⑯摘んだり、⑰網を持って走り回ったりする、⑱夢のような時代があった。
　　⑮(　　　　　) ⑯(　　　　　) ⑰(　　　　　) ⑱(　　　　　)

7. 今の上司は、困ったときに⑲頼りになるし、リーダーとして⑳力のある人だ。
　　⑲(　　　　　) ⑳(　　　　　)

II. (　)の中に言葉を入れて、文を作ってください。
1. どうしようか考えていたのだろうか。答えるまでに少し間が(　　　　　)。
2. 田畑で汗を(　　　　　)働く父の姿を見ていたら、手伝わざるを得なかった。
3. 留学生を囲む会で、日本の大学生が声を(　　　　　)、童謡を歌ってくれた。
4. みんなで(　　　　　)を合わせてがんばれば、何事もできないことはない。
5. 来週の試験にどうしても(　　　　　)人は、前の日までにれんらくしてください。
6. 考え方は(　　　　　)それぞれだと言ってしまっては、話が前に進むわけがない。

III. (　)に助詞を書いてください。「は」「も」は使えません。
1. じゅうどう大会でゆうしょうし、仲間(　　)喜び(　　)分かち合った。
2. この歌を聞くと、夕焼けの海で泳ぐ若者たちの姿(　　)頭(　　)浮かぶ。
3. 私なりに努力はしてみたが、どうしても新しい上司(　　)はなじめない。
4. 子供たちが大声(　　)「がんばれ」と言うの(　　)元気づけられて、最後まで走り切ることができた。
5. 若いころは、よくひとりで世界中(　　)歩き回ったものだ。

93

第16課

IV.【　】の言葉を正しい形にして、（　）に入れてください。

1. 帰宅がおそくなったので、親に（　　　　）ように部屋に入ろうと思ったが、（　　　　）しまった。【気づく】
2. おいしそうなにおいに（　　　　）、インド料理の店に入ることにした。【誘う】
3. 立場上、参加しなければならないのはわかっているが、（　　　　）かねている。【決める】
4. これは私ひとりでは判断（　　　　）難いことなので、上司とそうだんした上でお返事いたします。【する】
5. つらいことがあるたびに、亡くなった夫の一言に（　　　　）いる。【はげます】

V.「～ものだから、～（て／で）は～て／でいる」という形を練習しましょう。

> **例**
>
> 父が急に亡くなってしまったので、ショックを受けた母は、父の写真を見るといつも泣く。
> ⇒父が急に亡くなったものだから、母は父の写真を見ては泣いている。

1. 毎日たくさん宿題が出るので、妹は母親の顔を見ると「学校に行きたくない」と言う。
   ⇒＿＿＿＿＿＿ものだから、妹は＿＿＿＿＿は＿＿＿＿＿＿ている。
2. 仕事をやめて余裕ができたので、父はよく友達を誘って大好きな歌を歌いに行く。
   ⇒＿＿＿＿＿＿ものだから、父は＿＿＿＿＿は＿＿＿＿＿＿ている。
3. 娘が結婚して家を出てしまったので、兄は毎晩お酒を飲んで娘の話をする。
   ⇒＿＿＿＿＿＿ものだから、兄は＿＿＿＿＿は＿＿＿＿＿＿ている。
4. 母が入院したので、父は毎日、私に電話をかけてきて、「さびしい」と言う。
   ⇒＿＿＿＿＿＿ものだから、父は＿＿＿＿＿は＿＿＿＿＿＿ている。
5. 突然会社をやめさせられたので、主人は毎週、友達を食事に誘って「仕事を紹介して」とお願いしている。
   ⇒＿＿＿＿＿＿＿＿＿ものだから、主人は＿＿＿＿＿＿＿＿は
   ＿＿＿＿＿＿＿＿＿＿ている。

うたう

読んでみましょう

「風」を伝える

　同じ童謡を聞いて、連想する場面を描いてもらうと、山や木の形はそれぞれ違っても、だいたい同じような絵になるという。言葉と音楽が、聞く者に同じような場面を想像させる。見知らぬ世界を歌った歌でも、知っている世界と関係づけ、自分なりの想像で絵にする。描かれた場面は、歌を作った人が描いていたであろう場面と大きく変わらないという。長くても数分の歌だが、言葉と音楽がひとつになって持つ伝える力は大変なものだ。

　こんな話を聞いたことがある。ある集まりで、「今朝、起きてから30分間の様子を、言葉で正確に説明できますか」と問いかけられた人が、「朝7時半に起きて、コーヒーを飲みました」と説明を始めると、「ちょっと待って。まず、目を開けて何を見ましたか」と質問された。そして、「コーヒーの前に、何か気づいたことはありませんでしたか。風の音はしていましたか。鳥は鳴いていましたか」と続けてたずねられた。少し間があって、「どうしても思い出せません」という答えがあったそうだ。

　人間は物事を場面として覚えていて、特別なことでもなければ、その場面の詳しいことまでは覚えていないという。朝、起きたとき、風の音がしていたのか、鳥が鳴いていたのかということまで覚えていない。上の話が教えているのは、言葉で何でも伝えられるわけではない。言葉ができることは、覚えている場面から話す人が必要だと思う情報を取り出して伝えること、言葉にできるのはそこまでだということだ。

　確かに、どれほど言葉を使っても、何時間かけても、言葉でひとつの場面のすべては伝えられない。何か伝えたいことがあるとき、歌は、その方法のひとつではないだろうか。言葉と音楽がひとつになって、聞いた者には、伝えられた場面が風の音や鳥の鳴き声とともに浮かぶ。かなしさやつらさを分かち合い、聞く者を楽しませ、はげます歌には、言葉とは違う「風を伝える」力がある。

第16課

I. 上の文を読んで、正しいと思う文に〇を付けてください。

1. (　) 同じ童謡を聞いて連想する場面を描いた絵は、ひとりひとり大きく違う。
2. (　) 言葉と音楽がひとつになって、聞く者に同じような場面を想像させる。
3. (　) 朝、起きてからの30分間を言葉で正確に説明するのは難しい。
4. (　) 人間は特別なことがなければ、物事を場面としては覚えない。
5. (　) 覚えている場面から必要な情報を取り出して伝えることが、言葉にはできる。
6. (　) 場面を正確に伝えるには、歌より言葉のほうがいい。
7. (　) 言葉だけでは伝えられない場面も、歌でなら伝えられる。
8. (　) 歌には、言葉とは違う伝える力がある。

II. 次の質問に答えてください。

1. 同じ童謡を聞いて、連想する場面を描いてもらうとどうなりますか。
   _____。

2. 朝、起きてからの30分間について、どのような質問をされましたか。また、質問された人はどう答えましたか。
   _____。

3. 言葉にできるのはどんなことですか。
   _____。

4. 歌が持っている力とは、どんな力ですか。
   _____。

第17課 なおす

聞きましょうA　　　　　　　　　　　　　　　　　　　　Disk 2 19, 20

I. 会話を聞いて、質問に答えてください。

1. (　　　)　2. (　　　)　3. (　　　)　4. (　　　)　5. (　　　)

II. もう一度聞いて、書いてください。

A：山田、聞いたよ。男の子だってね。おめでとう。
B：ありがとうございます。ところで、中村さん、お父さん、どうなんですか。
　　①＿＿＿＿＿、＿＿＿＿＿＿＿＿＿＿＿＿＿＿＿…。
A：うん、医者の話じゃ、②＿＿＿＿＿＿＿＿＿＿＿＿＿＿＿＿＿＿＿…。
B：そうなんですか。それは大変ですね。
A：そうなったら、③＿＿＿＿＿＿＿＿＿＿＿＿＿＿＿、＿＿＿＿＿＿＿＿、
　　＿＿＿＿＿＿＿＿＿＿＿＿＿。
B：そうですね。
A：そんな姿を見るのがつらいんだよ。たおれるまでは、誰よりも元気だったからな。手も足も自分の意思で動かせず、④＿＿＿＿＿＿＿＿＿＿＿＿＿＿＿＿、
　　＿＿＿＿＿＿＿＿＿＿＿＿＿。
B：でも、お母さんからすると、手術をして、⑤＿＿＿＿＿＿＿＿＿＿＿＿＿＿
　　＿＿＿＿＿＿＿＿＿＿＿＿。⑥＿＿＿＿＿＿＿＿＿＿＿＿＿＿＿＿＿＿＿。
A：そのことなんだけど、実は、⑦＿＿＿＿＿＿＿＿＿＿＿＿＿＿＿＿＿＿＿。
B：そうですか。⑧＿＿＿＿＿＿＿＿＿＿＿＿＿＿＿、＿＿＿＿＿＿＿＿＿＿＿。
A：うん。でも、本当のことを言うと、⑨＿＿＿＿＿＿＿＿＿＿＿＿＿＿＿＿＿。
B：手術しても、⑩＿＿＿＿＿＿＿＿＿＿＿＿＿＿＿＿＿、＿＿＿＿＿＿＿＿＿。
A：ああ。山田の所に新しい命が生まれて、⑪＿＿＿＿＿＿、＿＿＿＿＿＿＿＿
　　＿＿＿＿＿＿＿＿＿。山田の子供の話を聞いて、⑫＿＿＿＿＿＿＿＿＿＿
　　＿＿＿＿＿、＿＿＿＿＿＿＿＿＿＿＿＿＿＿＿＿＿＿。じゃあ、ここで…。
B：あ、そうか、病院へ行かれるんでしたね。それじゃ、失礼します。お大事に。

97

第17課

聞きましょうB　　Disk 2 21

I. 質問に答えられるように、ノートを取りながら、聞いてください。

1. 話している人が最近考えているのはどんなことですか。
2. 医療技術は進歩していますが、その一方で、どのような問題がありますか。
3. そのことについて、どのような意見を持っていますか。
4. 話している人は、患者さんのご家族にどんなことを伝えていますか。

II. ノートを見ながら、書いてください。

1. 最近考えていること
   - ◆＿＿＿＿＿＿＿＿＿＿＿＿＿＿＿＿＿を真剣に考えている。
   - ◆これまで、＿＿＿＿＿＿＿＿＿＿＿＿＿＿＿＿例をたくさん見てきた。

2. 現在の医療問題
   - ◆確かに＿＿＿＿＿＿＿＿＿が、＿＿＿＿＿＿＿＿＿＿＿わけではない。
   - ◆＿＿＿＿＿＿＿＿＿ことは、＿＿＿＿＿にとって＿＿＿＿＿＿＿。
   - ◆経済的な問題だけでなく、＿＿＿＿＿＿＿＿＿＿＿＿＿＿＿こともある。
   - ◆その結果、＿＿＿＿＿＿＿＿＿＿＿＿＿＿＿＿。

3. 話している人の意見
   - ◆治療して意味があるのは、＿＿＿＿＿＿＿＿＿＿＿＿＿＿ときだけだ。
   - ◆＿＿＿＿＿＿＿＿＿＿＿ようでは、本当に意味のある治療とは言えない。

4. 患者の家族と話すとき
   - ◆医者として本当にやらなければならないことは、＿＿＿＿＿＿＿＿＿＿＿＿＿＿＿＿＿＿＿＿＿＿と思っている。
   - ◆それで、＿＿＿＿＿＿＿＿＿＿＿＿ときには、＿＿＿＿＿＿＿＿＿＿＿＿＿＿＿＿＿＿＿＿＿＿＿＿ようにしている。

練習しましょう

I. ひらがなは漢字にして、漢字は読み方を書いてください。

1. 新しい薬や手術用①きぐの開発によって、いろいろな病気が②なおせるようになったが、それでもまだ③すくえない命もある。
   ①（　　　　　）　②（　　　　　）　③（　　　　　）

なおす

2. ④けいざいの⑤めざましい⑥のびとともに、社会⑦じょうきょうも変化した。
   ④(　　　　) ⑤(　　　　) ⑥(　　　　) ⑦(　　　　)

3. 母は東京の病院で働いていたが、今年から大阪に⑧もどり、⑨ちや遺伝子の病気を持つ人たちが通う病院で⑩かんごの仕事をしている。
   ⑧(　　　　) ⑨(　　　　) ⑩(　　　　)

4. 多くの⑪患者を調べた結果、⑫平均寿命とストレスの関係が⑬明らかになった。
   ⑪(　　　　) ⑫(　　　　) ⑬(　　　　)

5. 何かを⑭目指して始めたことは、その思いを⑮遂げるまで、⑯苦しいことや⑰犠牲にしなければならないことがあっても、続けるべきだ。
   ⑭(　　　　) ⑮(　　　　) ⑯(　　　　) ⑰(　　　　)

6. 父は⑱治療を続けているが、⑲元の⑳健康な㉑状態になるのは難しいようだ。
   ⑱(　　　　) ⑲(　　　　) ⑳(　　　　) ㉑(　　　　)

II. (　)の中に言葉を入れて、文を作ってください。

1. 携帯電話の技術は、ここ数年で大きな進歩を(　　　　)いる。
2. 血を(　　　　)兄弟が、死んだ父の財産でけんかをするなんてかなしい話だ。
3. 選手は、オリンピックに出るという子供のころからの(　　　　)をかなえた。
4. いったいこれからどうなるのか、(　　　　)が見えないままで心配に思う。
5. 大きな犠牲を(　　　　)まで、この土地を開発する必要があるのだろうか。

III. (　)に助詞を書いてください。「は」「も」は使えません。

1. インターネットは私たちの生活(　　)様々な変化(　　)もたらした。
2. 娘の何気ない一言(　　)、私の心(　　)動かした。
3. せっかく10年も勉強したのだから、日本語(　　)生かした仕事がしたい。
4. 器具の助け(　　)借りて歩けるようになり、生きる勇気(　　)生まれた。
5. 学生たちの日本語(　　)、最近、目覚ましい伸び(　　)見られる。

IV. 【　】の言葉を正しい形にして、(　)に入れてください。

1. 本当は気が進まないが、仕事だから(　　　　)やるしかない。【割り切る】
2. 選挙には負けたが、家族の「がんばったね」という言葉に(　　　　)。【救う】
3. 部下たちをまとめるために、リーダーとしての力が今(　　　　)いる。【問う】
4. この状態では今から治療しても、もう(　　　　)に違いない。【助かる】
5. ゆうしょうを(　　　　)いただけに、負けたときのショックは言葉にできないほどだった。【目指す】

第17課

V.「～と言われるが、～からすると、そう言われても～わけにはいかない」という形を使って、文を作る練習をしましょう。

例

他人のことだと思って、元の生活に戻れなければ、長く入院する意味はないと言う人がいる。確かにそうだが、血を分けた人たちには、なかなか納得できない意見だろう。

⇒<u>元の生活に戻れなければ、長く入院しても意味がない</u>と言われるが、<u>血を分けた人たち</u>からすると、そう言われても<u>簡単に納得する</u>わけにはいかないと思う。

1. 若い人たちは、自由で平等な人間関係が大切だと言う。それも大切だが、年上の人たちは、タテ社会が持っていた役割を無視するべきではないと思っている。

   ⇒＿＿＿＿＿＿＿＿＿＿＿＿＿＿と言われるが、＿＿＿＿＿＿＿からすると、そう言われても＿＿＿＿＿＿＿＿＿＿＿＿＿＿＿＿わけにはいかないと思う。

2. 役に立たない物はじゃまになるだけだから、すぐにすてるべきだと言う人たちがいる。確かにそう言う人もいるが、物がない時代に育った人たちは、何でも簡単にすてることはできないのだろう。

   ⇒＿＿＿＿＿＿＿＿＿＿＿＿＿と言われるが、＿＿＿＿＿＿＿＿＿＿＿からすると、そう言われても＿＿＿＿＿＿＿＿＿＿＿＿わけにはいかないと思う。

3. 小学校から英語を学んでも意味がないと言う人がいる。確かにそうかもしれないが、子供のときから英語を学んで話せるようになった人たちは、その意見に対して納得できないと言う。

   ⇒＿＿＿＿＿＿＿＿＿＿＿＿と言われるが、＿＿＿＿＿＿＿＿＿＿＿＿＿＿＿＿＿＿からすると、そう言われても＿＿＿＿＿＿＿＿＿＿わけにはいかないと思う。

4. 外国で子供を育てるとき、両親の文化や言葉は教えなくても良いと言う人がいる。確かにそうかもしれないが、自分の育った所の文化や言葉を知ってほしいと願う親たちは、その意見に納得できないと思う。

   ⇒＿＿＿＿＿＿＿＿＿＿＿＿＿＿＿＿＿＿＿＿＿と言われるが、＿＿＿＿＿＿＿＿＿＿＿＿＿＿＿＿＿＿＿＿＿からすると、そう言われても＿＿＿＿＿＿＿＿＿＿わけにはいかないと思う。

5. 大学を卒業した後、アルバイトで生活することも、その人の生き方だと言う人がいる。確かにそうだが、経済的に困らない生活をしてほしいと願う親たちは、その考えに納得できないと思う。

   ⇒＿＿＿＿＿＿＿＿＿＿＿＿＿＿＿＿＿＿＿＿＿と言われるが、＿＿＿＿＿＿＿＿＿＿＿＿＿＿＿＿＿＿＿＿＿からすると、そう言われても＿＿＿＿＿＿＿＿＿＿わけにはいかないと思う。

読んでみましょう

「死ぬこと」を考える

　多くの高齢者は、「生きること」にいっしょうけんめいで、平均寿命が伸びることを良いことだと考える時代を生きてきた。「死ぬこと」など遠い先の話で、自分の人生にはあまり重要な問題ではないと思っていたはずだ。ところが、ふと気がつくと、周りに自分と同じような年齢の者が増え、同じ年代の者が集まると、「死ぬこと」は、無視するわけにはいかない目の前の問題として話し合わざるを得なくなった。

　「死ぬこと」が今ほど多く話題になる時代はなかったのではないだろうか。しかし、「生きること」が「死ぬこと」と近い関係にあった時代はあった。生まれてすぐの子が長生きできず、治療が難しい病気になれば助からない。そればかりではなく、火事や台風などで考えられないほど多くの犠牲が出た、そんな時代のことだ。自分が、あるいは、家族の誰かがいつ死ぬことになるのか、先が見えない状況で生きている時代には、「生きること」のすぐとなりに「死ぬこと」があった。

　その時代の人たちは、「死ぬこと」は、今とは別の、次の世界へ行くことだと考え、生きていた。生きる努力をすれば、苦しむことのない人生が待っていると宗教にも教えられ、次の世界でのより良い人生を目指して生きていた。頭の中で「死ぬこと」をいつも意識しながら、「生きること」に努力した。「死ぬこと」が今よりずっと、「生きること」に近い時代を生きていた。

　数十年前から予測されてはいたが、いわゆる高齢化社会が目に見える形になってきた。社会の高齢化は、高齢者をどう扱えばいいのか、増え続ける長期入院患者や寝たきりのお年寄りの看護や経済的な問題は誰が責任を持つのかなど、これまで経験したことのない大きな問題をもたらした。また、高齢化によって、「死ぬこと」を真剣に考えるようになればなるほど、かけがえのない今の命をより大切にして「生きること」につながるのではないかということが、社会のひとりひとりに問いかけられている。

第 17 課

Ⅰ. 上の文を読んで、正しいと思う文に〇を付けてください。

1. (　) 多くの高齢者は、長生きはいいことだと考える時代を生きてきた。
2. (　) 高齢者は様々な年代の人と「死ぬこと」について話すことが多くなった。
3. (　) 今は、以前より「死ぬこと」が多く話題になる時代である。
4. (　) 昔は「生きること」と「死ぬこと」が近い関係にあった。
5. (　) 昔の人は死んだ後の世界の存在を信じていなかった。
6. (　) 次の世界とは、死んだ後の世界のことである。
7. (　) 高齢化社会に起こった問題は以前から予測されていたことで、それほど大きな問題ではない。
8. (　) 高齢化の問題が問いかけているのは、「死ぬこと」を真剣に考えれば「生きること」につながるのではないかということだ。

Ⅱ. 次の質問に答えてください。

1. 多くの高齢者にとって、「死ぬこと」はどんなことでしたか。
   _____。

2. 「死ぬこと」と「生きること」が近い時代とは、どんな時代でしたか。
   _____。

3. その時代に生きていた人にとって、「死ぬこと」とはどういうことでしたか。
   _____。

4. 筆者は社会の高齢化によって、何が問いかけられていると言っていますか。
   _____。

第18課

はなれる

聞きましょう A　　　　　　　　　　　　　　　　　　　Disk 2 22, 23

Ⅰ. 会話を聞いて、質問に答えてください。

1. (　　　　) 2. (　　　　) 3. (　　　　) 4. (　　　　) 5. (　　　　)

Ⅱ. もう一度聞いて、書いてください。

A：ねえ、山口さんはお子さん、どこの学校に通わせるか決めた。

B：うん、できれば①＿＿＿＿＿＿＿＿＿＿＿＿＿＿＿＿、ひとつ問題があって…。②＿＿＿＿＿＿＿＿＿＿＿＿＿＿＿＿＿＿。

A：ひとつだけ。最近は、③＿＿＿＿＿＿＿＿＿＿＿、＿＿＿＿＿＿＿＿＿＿＿…。

B：どこも同じなんでしょ、少子化。

A：その影響なのね。でも、子供が少ないほうが、先生は④＿＿＿＿＿＿＿＿＿＿＿＿＿＿＿＿＿、＿＿＿＿＿＿＿＿＿＿＿＿＿＿＿＿＿＿＿。

B：確かにそうだけど、先のことを考えるとね。卒業しても、このままでは、中学もひとつしかクラスができないそうなの。小学校や中学って、勉強もだけど、⑤＿＿＿＿＿＿＿＿＿＿＿＿＿＿＿＿＿＿＿＿＿＿。

A：それはそうね。でも、この間新聞にね、⑥＿＿＿＿＿＿＿＿＿＿＿＿＿＿＿＿＿＿＿＿＿＿、全部で30人くらいしかいない学校も増えているし、日本全体を見ても、⑦＿＿＿＿＿＿＿＿＿＿＿＿＿＿＿＿＿＿＿＿＿。

B：え、そうなの。⑧＿＿＿＿＿＿＿＿＿＿＿＿＿＿＿＿＿＿＿＿＿＿＿＿＿。じゅんのことを考えて、⑨＿＿＿＿＿＿＿＿＿＿＿＿＿＿＿＿＿＿＿、それじゃ、どこへ行っても同じことね。

A：離れた地域の学校って、ここを離れるってこと。

B：主人ともそうだんしてね、⑩＿＿＿＿＿＿＿＿＿＿＿＿＿＿＿＿＿＿、「＿＿＿＿＿＿＿＿＿＿＿＿＿」＿＿＿＿＿＿＿＿＿、そう考えてたの。

A：事情はよくわかるけど。⑪＿＿＿＿＿＿＿＿＿＿＿＿＿＿＿＿＿＿＿＿、最後には、⑫＿＿＿＿＿＿＿＿＿＿＿＿＿＿、＿＿＿＿＿＿＿＿＿＿＿＿＿＿。

103

第 18 課

聞きましょう B　　　Disk 2 24

Ⅰ. 質問に答えられるように、ノートを取りながら、聞いてください。
 1. どうして、集まりを開いて話し合うことになったのですか。
 2. 話している人が住んでいる地域には、今、どのような問題がありますか。
 3. そのほかに、どのような問題がありますか。
 4. 話している人は、どんなことが必要だと言っていますか。

Ⅱ. ノートを見ながら、書いてください。
 1. 話し合うことになった理由
　◆この日は_____ために集まった。
　◆最近は_____が問題になっている。
　◆けいさつからも、_____とのれんらくがあった。
 2. 今の地域の問題
　◆10年ほど前から、「_____」「_____」という声が出ていたが、_____。
　◆しかし、今は_____物もあり、_____状態だ。
 3. 地域の現状
　◆_____もほとんどなく、_____も減っている。
　◆_____が増え、_____が現状だ。
 4. この地域のこれからについて
　◆_____が、時間がかかる。
　◆まず、_____を考える必要がある。
　◆_____ために、この集まりが、_____第一歩になれば良い。

練習しましょう

Ⅰ. ひらがなは漢字にして、漢字は読み方を書いてください。
 1. ①せいふは、人口が②へり続ける③げんじょうが、これからの日本経済にどのような影響を与えるか④ちょうさした。
　①(　　　　)　②(　　　　)　③(　　　　)　④(　　　　)

2. ⑤ておくれになる前に手を打つ必要があるという講演会での話が、古くから⑥ねづく日本料理の文化を守る運動を⑦うながす結果となった。
   ⑤(   ) ⑥(   ) ⑦(   )

3. ⑧かたときも休まず働く⑨おとしよりの腰の辺りを⑩おして、「痛くなりませんか」と聞くと、「もう何十年もやっていますから」という答えだった。
   ⑧(   ) ⑨(   ) ⑩(   )

4. ⑪過疎化が進んだ結果、村の人たちはこの⑫地域の⑬伝統の⑭祭りを伝えようにも伝える相手がいない状況に、さびしい思いをしているそうだ。
   ⑪(   ) ⑫(   ) ⑬(   ) ⑭(   )

5. 父は、⑮将来は海外の小さな⑯漁村に住みたいという若いときからの夢が忘れられないのか、時間があると世界⑰地図を広げている。
   ⑮(   ) ⑯(   ) ⑰(   )

6. 私が住む町では、⑱就職ができずに困っている若者を⑲支援する制度がある。
   ⑱(   ) ⑲(   )

7. 海岸に⑳勢いよく押し寄せる㉑波の音を聞きながら、赤く㉒染まった夕陽が海の向こうに姿を㉓消すまでじっと眺めていた。
   ⑳(   ) ㉑(   ) ㉒(   ) ㉓(   )

II. (　)の中に言葉を入れて、文を作ってください。

1. 退職の理由を聞かれても、口を(　　　　)ともしない部下に、上司はそれ以上聞くのをやめた。
2. 母のように何でも人に話すのも問題だと思うが、その一方で、父のように口が(　　　　)のも困る。
3. 世界一の画家になるという夢を(　　　　)、絵の学校に入ったが、この世界は厳しかった。
4. 家族みんなで世話をしていたうちの犬が、突然私たちの前から(　　　　)を消した。
5. おいしい魚料理が食べられる店があると聞いて、わざわざ(　　　　)を運んだのに、予約していなかったので入れなかった。
6. 休みでいなかに帰っていた娘が東京に戻ると聞いて、父親は「気をつけて帰れよ」とさびしそうにぽつりと(　　　　)。

III. (　)に助詞を書いてください。「は」「も」は使えません。

1. 何らかの手(　)打たなければ、日本の社会(　)は男女平等の意識がなかなか根づかないだろう。

第18課

2. その若者は日本（　）看護の仕事をするために、今、日本語の勉強をしているが、漢字（　）苦しんでいる。
3. 娘は海外（　）の生活（　）あこがれているようだが、英語も話せないようではとても無理だろう。
4. 台風の後も、大きな波（　）海岸（　）押し寄せてきた。
5. 時代の変化とともに、大学も学生の就職対策と支援（　）力（　）入れるようになった。

IV. 【　】の言葉を正しい形にして、（　）に入れてください。

1. 若いころにふるさとの村を出たきり長く帰っていなかったが、体が弱くなった両親に田植を手伝えと（　　　）。【呼び戻す】
2. 若い人たちに農村の生活を体験（　　　）と、この地域では準備が進んでいる。【してもらう】
3. おおぜいの拍手に（　　　）、前に出た若者は恥ずかしかったのか、一言「ありがとうございます」とだけ言った。【促す】
4. 驚いたことに、弱いと思われていたチームが、勢いに（　　　）ゆうしょうした。【乗る】
5. 10年前からこの村に住んでいるが、今まで、この地方の伝統や生活事情をよく（　　　）ままでいた。【知る】

V. 「～ないかと思うと、～」という言い方を使って、残念だという気持ちを表す文を作りましょう。

例

もうあのころのふたりには戻れないかと思うと、かなしくてならない。

1. もうこの店で食べることができないかと思うと、＿＿＿＿＿＿＿＿＿＿＿＿＿＿＿。
2. 会えるのはこれが最後になるのではないかと思うと、＿＿＿＿＿＿＿＿＿＿＿＿＿＿＿。
3. もうこの学校でじゅぎょうを受けることができないかと思うと、＿＿＿＿＿＿＿＿＿＿＿＿＿＿＿＿＿＿＿＿。
4. もう妻はここにはいないのかと思うと、＿＿＿＿＿＿＿＿＿＿＿＿＿＿＿。
5. 自分が生まれて育った家がなくなるかと思うと、＿＿＿＿＿＿＿＿＿＿＿＿＿＿＿。

読んでみましょう

「みんなの」ふるさと

　日本各地で過疎化が進んでいる。若者は就職先を求めてふるさとを離れ、さらに、少子高齢化の影響も大きく、人口は減り続けている。そうした状況で、過疎化の流れを止めることはできないとしても、何らかの手を打たないことにはということで、地方自治体と地域の人たちがひとつになって、新しいふるさと作りの運動を続けている村がある。都会からおおぜいの人たちがやって来る楽しい場所、「みんなのふるさと」を作って、地域の活性化を目指そうという運動である。

　そこでは、数人の若い人たちが、古くなった建物を使って昔の農村の生活を見せる場所を作ろうと呼びかけた。昔の生活を知らない小学生や中学生に来てもらって、日本のことを知ってもらおう、そうなれば村の活性化にもつながると考えてのことだった。古い建物の中には、昔の服を着せた人形を並べて、周りには古い時代に使われたさらなどのいろいろな物を並べる予定だった。

　ところが、考えてもいなかったことが起こった。若い人たちの呼びかけに促され、初めは、近所を回って残っている古い物を集めていただけのお年寄りが、人形ではなく自分たちが昔の服を身につけて、建物に来た人たちに自分たちの経験を話すのはどうかと言ってきた。それだけではない。その地域だけで昔から作られているやさいを使って伝統料理を出すレストランをやってみてはどうだろうと言う女性や、おみやげを売る店を作りたいと言うグループも出てきた。

　「みんなのふるさと」を作る運動が新聞やテレビで紹介されたことがきっかけになって、足を運んでくれる人が増え始め、今では土曜、日曜に押し寄せる人の波を自分たちだけでは扱えないほどになった。地域の人たちはみんな、「こんな結果になるとは、夢にも思っていませんでした」と言う。「お年寄りや若い人がひとつになって、村全体の生活に勢いが出てきた。来てくださる人にとっても私たちにとっても、言葉の通り『みんなの』ふるさとになった」と、村の人たちの誰もが、うれしそうに話している。

第 18 課

Ⅰ. 上の文を読んで、正しいと思う文に○を付けてください。

1. （　）「みんなのふるさと」は都会から多くの人を呼ぶために始められた。
2. （　）ある村で、昔の農村の生活を見せるための建物を新しく作ることになった。
3. （　）建物の中には、人形や古い時代に使われた物を並べることになっていた。
4. （　）初めは、お年寄りが若い人にいろいろなことを呼びかけた。
5. （　）お年寄りが昔の服を着せた人形を作ることになった。
6. （　）若い人たちは昔の生活を見せるよりも、レストランやおみやげを売る店を作りたがっていた。
7. （　）「みんなのふるさと」は新聞やテレビで紹介された。
8. （　）初めは「みんなのふるさと」におおぜいの人が来たが、その後、少なくなった。

Ⅱ. 次の質問に答えてください。

1. 新しいふるさと作りの運動とは、どのような運動ですか。
   _____。

2. 初め、若い人たちはどのようなことを考えていましたか。
   _____。

3. その後、お年寄りの中から、どのような意見が出ましたか。また、どのようなことを言う人が出てきましたか。
   _____。

4. この地域の人たちにとって一番うれしいことは何ですか。
   _____。

第19課 かなえる

聞きましょう A　　　　　　　　　　　　　　　　　　　　　Disk 2　25, 26

Ⅰ. 会話を聞いて、質問に答えてください。

1. (　　　　)　2. (　　　　)　3. (　　　　)　4. (　　　　)　5. (　　　　)

Ⅱ. もう一度聞いて、書いてください。

A：なあ、田中。さっき、小さい子供のいる母親にお金をあげてただろう。

B：ああ、①＿＿＿＿＿＿＿＿＿＿、＿＿＿＿＿＿＿＿＿＿＿＿＿＿。胸が痛んだよ。

A：あれは良くないと思うんだ。

B：え、困っている人のために②＿＿＿＿＿＿＿＿＿＿、＿＿＿＿＿＿＿＿＿＿＿＿。

A：あの母親はたぶん、田中が日本人だから、お金がもらえると思ったんだよ。

B：まあ、そうかもしれないけど、子供もいたし。鈴木は何が言いたいんだよ。

A：③＿＿＿＿＿＿＿＿＿＿＿、＿＿＿＿＿＿＿＿＿＿＿＿＿＿＿。きっとあの母親には、④＿＿＿＿＿＿＿＿＿＿＿＿＿＿＿＿＿＿＿＿＿＿。

B：そんなことはないだろう。考えすぎだよ。⑤＿＿＿＿＿＿＿＿＿＿＿＿＿＿＿。

A：⑥＿＿＿＿＿＿＿＿＿＿＿、＿＿＿＿＿＿＿＿＿＿＿＿＿＿＿。これは、⑦＿＿＿＿＿＿＿＿＿＿＿、＿＿＿＿＿＿＿＿＿＿＿＿＿。

B：でも、少しのお金で、⑧＿＿＿＿＿＿＿＿＿＿＿＿＿＿＿＿＿＿＿、こっちもうれしいじゃないか。

A：⑨＿＿＿＿＿＿＿＿＿＿＿＿＿＿。田中の親切は自己満足の裏返しだよ。だいたい、あの母親はまだ若いんだから、働けるはずだろう。

B：きっと、⑩＿＿＿＿＿＿＿＿＿＿＿＿。日本もそうだけど、ひとりで子供を育てている母親は、本当に大変なんだ。そう簡単に仕事も見つけられないだろうし。

A：じゃ、⑪＿＿＿＿＿＿＿＿＿＿＿＿＿＿＿＿＿＿＿＿＿＿＿＿＿。

B：⑫＿＿＿＿＿＿＿＿＿＿、＿＿＿＿＿＿＿＿＿＿＿＿＿＿、お金出したんだけどな…。

109

第19課

聞きましょうB　　　　　　　　　　　　　　　　　　　　　Disk 2　27

Ⅰ. 質問に答えられるように、ノートを取りながら、聞いてください。

1. 話している人は、仲間たちとどんなことを始めましたか。
2. それを続けているうちに、村ではどんなことが起こりましたか。
3. 村の若者たちはどんなことを話し合うようになりましたか。
4. 村にはどのような考えが根づきましたか。

Ⅱ. ノートを見ながら、書いてください。

1. 村への支援
    - ◆＿＿＿＿＿＿＿＿＿＿＿＿＿＿＿＿＿＿＿＿がきっかけで、支援運動が変わった。
    - ◆支援している村へ行って、話をしたが、村の人たちは＿＿＿＿＿＿＿＿＿＿。

2. 村の変化と夢の実現
    - ◆2年、3年と続けているうちに、村の人たちが＿＿＿＿＿＿＿＿＿＿＿＿＿＿。
    - ◆リンゴは育たなかったが、＿＿＿＿＿＿＿＿＿＿＿＿＿＿ようになった。
    - ◆そして、村に＿＿＿＿＿＿＿＿＿＿＿。

3. 次の夢
    - ◆それから、村を離れていた若者たちが＿＿＿＿＿＿＿＿＿＿＿＿＿＿＿＿。
    - ◆「＿＿＿＿＿＿＿＿＿＿＿＿」とか「＿＿＿＿＿＿＿＿＿＿＿＿＿＿」と話し合うようになった。
    - ◆あと2年ぐらいで＿＿＿＿＿＿＿＿＿＿。

4. 新しい夢と村に根づいた考え
    - ◆＿＿＿＿＿＿＿＿＿＿＿＿＿＿＿＿＿＿＿という考えが村の人に根づいた。
    - ◆話している人たちも、＿＿＿＿＿＿＿＿＿＿＿＿＿＿＿＿＿ようになり、支援を続けることになった。

練習しましょう

Ⅰ. ひらがなは漢字にして、漢字は読み方を書いてください。

1. 学生に夢は何かと①しつもんしたところ、②まずしい地域の③めぐまれない人たちの④みらいのために働くことだと答えた。

　　①(　　　　)　②(　　　　)　③(　　　　)　④(　　　　)

110

2. この学校には、個性⑤ゆたかで、明るく⑥すなおで、⑦ねっしんな生徒が多い。
    ⑤(   ) ⑥(   ) ⑦(   )

3. 何か問題があるときは、たんとう者から⑧れんらくを⑨さしあげる⑩かのうせいがあります。
    ⑧(   ) ⑨(   ) ⑩(   )

4. ここに工場を建てるのは自然⑪環境への影響が明らかで、地域の人たちはこの⑫計画をやめさせるよう⑬政治家に⑭訴えた。
    ⑪(   ) ⑫(   ) ⑬(   ) ⑭(   )

5. 私の⑮身内には⑯教育関係の仕事をしている人が多く、私が先生になったと言うと、みんな⑰満足そうな⑱笑顔を見せて喜んでくれた。
    ⑮(   ) ⑯(   ) ⑰(   ) ⑱(   )

6. この間の大雨で、⑲裏にある山が安全基準を⑳満たさない状況になり、地域の人たちが㉑交流するための㉒施設が使えなくなった。
    ⑲(   ) ⑳(   ) ㉑(   ) ㉒(   )

7. 海外での新会社という㉓選択肢について目を㉔輝かせて話す社長の前では言えなかったけれど、㉕胸のうちの心配を㉖隠して聞いていた社員も多い。
    ㉓(   ) ㉔(   ) ㉕(   ) ㉖(   )

II. ( )の中に言葉を入れて、文を作ってください。
1. 子供はいつもは見られない父の仕事を目に(   )、父の大変さを知った。
2. 確かに、夢を(   )ことも大切だが、夢だけでは生活できない。
3. 兄が病院に運ばれたという連絡を(   )、母は急いで病院へ行った。
4. 困っている人に(   )を差し伸べるのは、人間として当然のことだ。
5. 病気で苦しんでいる父のことを考えると(   )が痛む。
6. この方法が正しいかどうかわかりませんが、ともかく(   )みましょう。

III. ( )に助詞を書いてください。「は」「も」は使えません。
1. その人は、事故の体験(   )どうしても私たち(   )語ろうとしなかった。
2. 留学生は子供たち(   )日本語(   )交流できたこと(   )満足していた。
3. 若いころは、ひまさえあれば、よく友達(   )夢(   )語り合ったものだ。
4. 学生がいかに見えない所(   )努力しているかは、その力の伸び(   )はっきりと表れる。
5. 講演会(   )、その本の著者は、経済的、物質的な豊かさばかり(   )求めてきた日本のあり方(   )もう一度見直すべきだと会場の人(   )訴えた。

第19課

IV.【　】の言葉を正しい形にして、（　）に入れてください。

1. 突然私たちの前から姿を消した若者の、その笑顔の裏に（　　　）本当の気持ちに気づけなかった。【隠す】
2. （　　　）環境に育ちながら、何か（　　　）ないものを感じるというのは、いったいどういうことだろうか。【恵む】【満たす】
3. 両親は、毎日（　　　）づめの娘のことをいつも気にしている。【働く】
4. 教育を（　　　）ことには、貧しい生活から（　　　）ことはなかなかできないだろう。【受ける】【抜け出す】
5. いつまでも（　　　）夢を（　　　）いるようでは、これからも先は見えないままだろう。【かなう】【追う】

V.「〜では、〜は、まず〜（ない）だろう」という形で、「〜することはできないだろう」という意味の文を練習しましょう。

> **例**
>
> 長男は医者になりたいと思っているけれども、今の家の経済状況を考えると、難しいだろう。
> ⇒<u>今の家の経済状況</u>では、<u>長男が医者になること</u>は、まず<u>難しい</u>だろう。

1. 多くの人は大学に行きたいと思っているけれども、このような貧しい環境では考えられないだろう。

    ⇒＿＿＿＿＿＿では、＿＿＿＿＿＿は、まず＿＿＿＿＿＿だろう。

2. 主人は子供と遊びに出かけたいと思っているようだけれども、今のような働きづめの生活を変えなければ、なかなか実現しないだろう。

    ⇒＿＿＿＿＿＿では、＿＿＿＿＿＿は、まず＿＿＿＿＿＿だろう。

3. 子供はあした公園に行きたいと言っているけれども、台風が来ている状況を考えると、無理だろう。

    ⇒＿＿＿＿＿＿では、＿＿＿＿＿＿は、まず＿＿＿＿＿＿だろう。

4. 夫は来週から仕事を始めたいと言っているけれども、今の体の状態を考えると、まだ無理だろう。

    ⇒＿＿＿＿＿＿では、＿＿＿＿＿＿は、まず＿＿＿＿＿＿だろう。

5. 娘は違う仕事がしたいと思っているけれども、今の日本の経済状況や娘の年齢を考えると、難しいだろう。

    ⇒＿＿＿＿＿＿では、＿＿＿＿＿＿は、まず＿＿＿＿＿＿だろう。

読んでみましょう

必要とされていますか

　「今、豊かな生活をしていると思いますか」と問われて、「はい」と素直な答えを返す若者が減っている。何かが足りないのかと聞いてみても、特別、何がほしいと言うわけではない。「物質的には満足しているけれど…」と言って後が続かない。続けようとするのだが、思いを伝える言葉が見つからない。

　亡くなるまで貧しい人たちとともに生きた女性が、支援してくれているグループの前で話すのを聞く機会があった。今、グループでは、教育施設を建てるなど、具体的な支援の計画があり、そのためにお金を集めているという説明があった後、その女性の話が始まった。女性はまず、自分たちを支援しようとしてくれる人たちの思いやりに対してお礼を言い、「お話ししたいことがあるのですが」と、次のような話をした。

　「ここにいらっしゃる皆様は、私が一緒に生きている人たちよりずっと豊かな生活をされています。私たちから見れば、夢のような生活です。でも、どうでしょうか」と言って、女性は言葉を重ねた。生活が豊かになりさえすれば、心を満たされた生活ができるのだろうか。自分はそうは思わない。貧しさとは、物質的に恵まれないことではなく、周りの誰からも必要とされていないと感じることではないだろうか。必要とされていないと感じながら生き続けることこそが、本当の貧しさなのだと、熱心に語りかけた。

　貧しさから抜け出すことは、表面的に恵まれた社会を実現することではない。豊かだと思っている人たちの中にも、「貧しい」人たちがおおぜいいる。それを知って、問題を共有し、お互いに力を合わせよう。そうした人たちのために胸を痛め、手を差し伸べよう。そうしなければ、本当の貧しさをなくすことはできない。女性がいっしょうけんめい訴えたことは、「物質的には満足しているけれど…」と言ったきり後が続かない今の若者の耳には、どう聞こえるのだろうか。

第19課

I. 上の文を読んで、正しいと思う文に〇を付けてください。

1. （　）今、豊かな生活をしていると感じている若者が多い。
2. （　）今の若者は、物質的には満足している。
3. （　）この話に出てくる女性は、貧しい人たちとともに生きた。
4. （　）女性は経済的に貧しい人たちの前で話をした。
5. （　）女性は、物質的に豊かな生活ができれば、心も満たされると言っている。
6. （　）本当の貧しさとは、誰からも必要とされないと感じることである。
7. （　）この女性は、物質的に恵まれた社会を実現することによって、貧しさから抜け出すことができると言っている。
8. （　）女性の言葉は今の若者に対して熱心に訴えたものだ。

II. 次の質問に答えてください。

1. 今の若者は何が足りないと言っていますか。
　_____。

2. この女性はどんな人ですか。また、誰の前で話をしましたか。
　_____。

3. 女性は「貧しさ」とはどういうことだと言っていますか。
　_____。

4. 女性がいっしょうけんめい訴えたかったことは何ですか。
　_____。

第20課 おぼえる

聞きましょうＡ　　　　　　　　　　　　　　　　　　　　Disk 2 28, 29

Ⅰ. 会話を聞いて、質問に答えてください。
1. (　　　)　2. (　　　)　3. (　　　)　4. (　　　)　5. (　　　)

Ⅱ. もう一度聞いて、書いてください。

A：で、どうして見習いになろうと思うんだい。

B：去年まで、カナダのすし屋で働いていたんです。①＿＿＿＿＿＿＿＿＿＿、
＿＿＿＿＿＿＿＿＿＿、＿＿＿＿＿＿＿＿＿＿＿＿＿＿＿＿＿＿。

A：そりゃ、日本人がお客さんから見えるほうが、②＿＿＿＿＿＿＿＿＿＿＿＿＿。

B：そうなんです。③＿＿＿＿＿＿＿＿＿＿＿、だんだんいやになってきました。

A：でも、握ってたんだろう、すし。

B：握るって言うか…、④＿＿＿＿＿＿＿＿＿＿＿＿＿＿＿＿＿＿、
それを集めてさらに並べる、誰にだってできる仕事でした。

A：日本だってそうだよ。ご飯をたいて、⑤＿＿＿＿＿＿＿＿＿＿＿＿＿＿＿
＿＿＿＿＿＿＿＿＿＿＿。⑥「＿＿＿＿＿＿＿＿＿＿＿＿＿＿＿、
＿＿＿＿＿＿＿＿＿＿＿＿＿＿。こつを覚えるには１年かかる」なんて、今じゃ、
⑦＿＿＿＿＿＿＿＿＿＿＿＿＿＿＿。

B：ええ。でも、自分は、⑧＿＿＿＿＿＿＿＿＿＿＿＿＿＿＿＿、＿＿＿＿＿
＿＿＿＿＿＿＿＿。おいしいと言ってもらって、もっと工夫をして料
理を出す。そんな仕事がしたいんです。

A：そうだな。すしに限らず、⑨＿＿＿＿＿＿＿＿＿＿＿＿＿＿＿＿＿＿＿＿。

B：米もちゃんと研げないし、魚も選べない。そんなこともできないで、⑩＿＿＿＿
＿＿＿＿＿＿＿＿。そう思って、お願いに来たんです。

A：事情はわかった。けど、本当にいいのかい。見習い中は、あまりお金は出せないよ。⑪＿＿＿＿＿＿＿＿＿＿、＿＿＿＿＿＿＿＿＿＿＿＿＿＿。

B：はい、⑫＿＿＿＿＿＿＿＿＿＿。自分に力がなければ、仕方のないことですから。

115

第 20 課

🔊 聞きましょう B　　　　　　　　　　　　　　　　　Disk 2　30

Ⅰ. 質問に答えられるように、ノートを取りながら、聞いてください。

1. 話している人の学校が広く知られるようになったのは、どうしてですか。
2. 外国から学生を受け入れることについて、どのようなやり取りがありましたか。
3. 外国から来た若者の中には、どんな人がいましたか。
4. 話している人たちは、どのようなことを学びましたか。

Ⅱ. ノートを見ながら、書いてください。

1. この学校について
   - ◆ できてからまだ5年だが、その割に＿＿＿＿＿＿＿＿＿＿＿＿＿＿＿＿。
   - ◆ ここで教える先生たちは、＿＿＿＿＿＿＿＿＿＿＿＿＿＿＿＿＿＿＿＿。
   - ◆ それで、＿＿＿＿＿＿＿＿＿＿＿＿＿＿＿＿＿＿＿＿＿＿＿＿＿＿＿＿。

2. 外国からの学生の受け入れ
   - ◆ 「＿＿＿＿＿＿＿＿＿＿＿＿＿＿＿」「＿＿＿＿＿＿＿＿＿＿＿＿＿＿＿」など
     という意見が出た。
   - ◆ しかし、それは＿＿＿＿＿＿＿＿＿＿＿＿＿＿＿＿＿＿＿＿＿。

3. 外国から来た若者
   - ◆ 染物に使う草木や花を＿＿＿＿＿＿＿＿＿＿＿＿＿＿＿＿＿＿学生がいた。
   - ◆ 親が染物職人で、手触りや味で、＿＿＿＿＿＿＿＿＿＿＿＿＿＿＿＿＿
     を教えられてきた。
   - ◆ 大工技術の時間には、＿＿＿＿＿＿＿＿＿＿＿＿＿＿＿＿＿＿＿＿＿＿
     と許可を得に来る学生がいた。

4. この施設を始めた人たちが学んだこと
   - ◆ ＿＿＿＿＿＿＿＿＿＿＿＿＿＿は違っても、「ものづくり文化」を共有している。
   - ◆ 一緒にものづくりを学びながら、＿＿＿＿＿＿＿＿＿＿＿＿＿＿＿＿＿
     が、この学校が目指すことだ。

✏️ 練習しましょう

Ⅰ. ひらがなは漢字にして、漢字は読み方を書いてください。

1. ①<u>した</u>の表面に②<u>かたい</u>物ができている感じがするので、気になっている。
   ① (　　　　　)　② (　　　　　)

2. ③ぎむ教育を終え、高校を卒業しなければ④やとおうという会社は⑤かぎられているので、私はその⑥じょうけんを満たすため、仕方なく高校に進んだ。
   ③（　　　　　）④（　　　　　）⑤（　　　　　）⑥（　　　　　）

3. すし屋を⑦いとなんでもう20年が⑧すぎたが、まだ胸を⑨はって父よりうまいすしが⑩にぎれるとは言えない。
   ⑦（　　　　　）⑧（　　　　　）⑨（　　　　　）⑩（　　　　　）

4. ⑪薄く切って、ちょうど良い⑫加減に焼いた肉は⑬柔らかく、歯の悪い父も「これはうまい」と⑭大騒ぎして食べていた。
   ⑪（　　　　　）⑫（　　　　　）⑬（　　　　　）⑭（　　　　　）

5. 日本の⑮包丁は、⑯刃を⑰研ぎさえすれば、何年使っても、切ったり、⑱削ったり問題なくできる。
   ⑮（　　　　　）⑯（　　　　　）⑰（　　　　　）⑱（　　　　　）

6. 日本の⑲お家芸と言われる⑳染物技術を教える先生は、私が作った物を見て、色の使い方を㉑工夫したのは㉒認めるが、もっと赤を少なくするほうがいいと言った。
   ⑲（　　　　　）⑳（　　　　　）㉑（　　　　　）㉒（　　　　　）

7. ㉓手袋をせずに食べ物を㉔触ったり、魚もやさいもすべて同じ㉕まな板を使ったりするのは、㉖衛生管理上問題がある。
   ㉓（　　　　　）㉔（　　　　　）㉕（　　　　　）㉖（　　　　　）

Ⅱ.（　）の中に言葉を入れて、文を作ってください。

1. 厳しい仕事に耐えかねてすぐにやめてしまう者が多いが、今度の若者はなかなか見どころが（　　　　　）。

2. 終わってしまったことを、今になって残念がっても仕方が（　　　　　）。

3. 私もいつか有名になって、自分は画家だと（　　　　　）を張って言えるようになりたいものだ。

4. あの先生は、面白くて（　　　　　）をこらしたじゅぎょうをするので、学生に人気がある。

5. 上司は（　　　　　）が固く、今までのやり方を変えようとしても、なかなか納得してくれない。

6. 学校に通い、英語がそこそこ（　　　　　）ようになったが、海外で就職するにはまだまだ勉強が必要だ。

Ⅲ.（　）に助詞を書いてください。「は」「も」は使えません。

1. 新しい人（　　）雇う余裕がないため、毎日、目（　　）回るほど忙しい。

117

第20課

2. 画家や音楽家は命（　）削るようにして、絵や音楽（　）生み出している。
3. 私は包丁（　）研ぐこと（　）かけては、職人として誰（　）も引け（　）取らない。
4. 料理人（　）は、厳しい衛生管理（　）義務づけられている。
5. このドアの閉め方（　）は、ちょっとしたこつ（　）ある。

IV. 【　】の言葉を正しい形にして、（　）に入れてください。

1. （　　　　）上げられた職人のわざによって作られた物こそ、本物だと言えるだろう。【みがく】
2. どうすればいいのかと聞かれても、「習うより（　　　　）」としか言いようがない。【慣れる】
3. ふたりの結婚については、経済的な問題もあることから、そうすんなりと（　　　　）わけにはいかない。【認める】
4. 素手で魚が（　　　　）ようでは、漁村では働けないだろう。【触る】
5. すし職人になりたくてがんばってきたが、5年やってものに（　　　　）ば、別の仕事をさがそうと思う。【なる】

V.「～のでなければ、～ない」という形を使って、「～するためには、～しかない」という意味の文の練習をしましょう。

> **例**
> 料理は、体で覚えなければならない。
> ⇒料理は、体で覚えるのでなければ、一人前にはなれない。

1. 伝統的な技術は、せんぱいを見て覚えなければならない。
　⇒伝統的な技術は、＿＿＿＿＿＿＿＿＿＿のでなければ、＿＿＿＿＿＿＿ない。
2. 自分の気持ちは、相手に会って伝えなければならない。
　⇒自分の気持ちは、＿＿＿＿＿＿＿＿＿＿のでなければ、＿＿＿＿＿＿＿ない。
3. 友達へのプレゼントは、自分で店に行って選ばなければならない。
　⇒友達へのプレゼントは、＿＿＿＿＿＿＿＿＿のでなければ、＿＿＿＿＿＿＿ない。
4. 夏休みの旅行先は、旅行会社で説明を聞いて選ばなければならない。
　⇒夏休みの旅行先は、＿＿＿＿＿＿＿＿＿のでなければ、＿＿＿＿＿＿＿ない。
5. 旅行先のホテルは、よく調べて決めなければならない。
　⇒旅行先のホテルは、＿＿＿＿＿＿＿＿＿のでなければ、＿＿＿＿＿＿＿ない。

読んでみましょう

浜の教室

　浜に出てみると、広げた網を前にして、お年寄りと小さな女の子が腰を下ろしている。父親が海に出ている間、おじいちゃんの手伝いをしているのだなと想像して近くに行ってみると、女の子がお年寄りを見習うようにして、ゆっくり、それでも、休むことなく手を動かしている。たまに、輝くような笑顔を見せるのは、きっとおじいちゃんに「じょうずにできたな」とか「なかなか見どころがあるな」とでもほめられたのだろうと、また想像する。

　少し離れた所では、男の子たちが、大工仕事で大騒ぎしている。のぞいてみると、浜に流れてきた木を使って、小さな船を作っていた。一番年上に見える男の子が、あれやこれやと指示を出している。一度海の方へ行ったが、すぐに戻ってきた。どこか具合が悪かったのだろう。少しの間いろいろ触ってみてから、小さな職人たちは、切ったり、削ったりを続け、もう一度海へ走った。しばらくすると、子供たちの明るい声と大きな拍手が聞こえてきた。今度はうまく浮かんだようだ。

　この小さな漁村では、網も船も必要な物はみんな、自分たちの手で作るのだそうだ。お年寄りや年上の子供、誰に限らず先生役になって、伝統の技術を伝える。船の作り方を教えるのは、海に出ない日の男たちの大切な役割だ。若者たちが一人前として認められ、仕事の仲間として受け入れられるにあたっては、教えられた技術がそこそこ身についているかどうかが問われる。その厳しい条件を満たしてやっと、一人前だ。

　年上の者たちが、自分が身につけた昔からの生活の知恵を、長く伝えられてきたものづくりのわざを、次の年代の者たちに伝える。村の生活をみんなの手で守り、続けていくのだとの思いとともに伝える。浜では今日も、おじいちゃんのそばにすわって、「ほめられたらうれしいな」と思いながら女の子が網作りを学び、男の子たちはうまく浮かぶ船を作ろうと工夫をこらす。何年も変わらぬ営みがこれからも続くに違いない。

第20課

I. 上の文を読んで、正しいと思う文に〇を付けてください。

1. (　) 女の子はおじいさんにほめられるのがうれしいようだ。
2. (　) 男の子たちは網を作っている。
3. (　) 子供たちが作った船は、初めはうまく浮かばなかった。
4. (　) この漁村では、先生役が生活に必要な物を作ることになっている。
5. (　) 海に出ない日は、男たちはゆっくり休む。
6. (　) 一人前として受け入れられるには、教えられた技術が身についていなければならない。
7. (　) 生活の知恵やものづくりのわざが伝えられているのは、村の生活を守り、続けていくためだ。
8. (　) これからこの漁村も大きく変わっていくだろう。

II. 次の質問に答えてください。

1. 女の子は浜で何をしていますか。
　　_____。

2. 男の子たちは何をしていますか。
　　_____。

3. この漁村で、一人前だと認められるための条件は何ですか。
　　_____。

4. 年上の者は、次の年代の者に、何をどのような思いとともに伝えますか。
　　_____。

〈監修者〉
松田浩志（まつだ　ひろし）
1975 年、British Columbia 大学で M.A.（言語学）取得。大阪 YMCA で英語・日本語担当専任講師を経て、1996 年よりプール学院大学国際文化学部教授、2012 年に定年退職。主な著作：『テーマ別　中級までに学ぶ日本語』『テーマ別　上級で学ぶ日本語』『使うことば』『使うことば 2』『「中級」「上級」の日本語を日本語で学ぶ辞典』（以上、共著、研究社）、「異文化間協働の実践」（『異文化間協働』［小林哲也ほか編著、アカデミア出版会］に収録）ほか。

〈著　者〉
亀田美保（かめだ　みほ）
大阪 YMCA 日本語教育センター　センター長。

惟任将彦（これとう　まさひこ）
大阪 YMCA 学院日本語学科主任教員。

安本博司（やすもと　ひろし）
和歌山大学准教授。

山田勇人（やまだ　はやと）
山陽学園大学総合人間学部准教授。

テーマ別　中級から学ぶ日本語（三訂版）
ワークブック

1991 年 7 月 25 日	初版発行
2004 年 12 月 20 日	改訂版発行
2015 年 4 月 30 日	三訂版発行
2025 年 1 月 31 日	三訂版　第 12 刷発行

KENKYUSHA〈検印省略〉	監修者	松田浩志
	著　者	亀田美保・惟任将彦・安本博司・山田勇人
	発行者	吉田尚志
	印刷所	TOPPAN クロレ株式会社

発行所　株式会社　研　究　社

〒102-8152
東京都千代田区富士見 2-11-3
電話　（編集）03(3288)7711（代）
　　　（営業）03(3288)7777（代）
振替　00150-9-26710
https://www.kenkyusha.co.jp/

© Matsuda Hiroshi, Kameda Miho, Koreto Masahiko,
Yasumoto Hiroshi and Yamada Hayato, 2015
Printed in Japan / ISBN 978-4-327-38466-1 C1081
ブックデザイン：Malpu Design（宮崎萌美）

テーマ別

中級から学ぶ
日本語
三訂版
ワークブック

聞きましょう
スクリプト
＆
解答集

KENKYUSHA

第1課

🔊 聞きましょうA

Ⅰ．1．(a)　2．(b)　3．(c)　4．(c)　5．(b)

A：あ、たかこさん。お買い物。
B：うん。スーパー、こんでてたいへんだった。
A：この時間はいつもこんでるよね。ねえ、りょうちゃん、①2年生になって、学校で元気にやってる。
B：まあね。②宿題が多いから行きたくないって言ったりすることはあるけど…。③学校のことに口を出すといやがるからね。あまり何も言わないようにしてるの。
A：うちのゆうきね、④英語が難しいって言ってる。これまで勉強したことないから、⑤ちょっと心配してるんだけど。
B：りょうも初めて。⑥小学校に入るまでに勉強し始める子がたくさんいるんだってね。
A：ゆうきも⑦どこかで勉強させようと思ったけど、しゅじんがね…。
B：ごしゅじんがどうしたの。
A：そんなに小さいときから英語勉強しなくてもいいって。あまり英語、英語って言って、⑧きらいになるといけないからって言うの。
B：そうね。うちは、親ができないから、⑨子供は早くから勉強して、話せるようになってくれるといいなって言ってたけど。
A：私もそう思うけど…。
B：それでも、今は楽しくやってるようだから…。
A：ゆうきも、⑩難しいけど、英語は楽しみなんだって。
B：楽しく勉強して、英語が話せるようになってくれると一番だけどね。
A：そうね。あ、そろそろ行くね。じゃ、また。

1. ふたりは何の話をしていますか。
    a. 子供の学校のこと　b. ごしゅじんの仕事のこと　c. 英語の先生のこと
2. 買い物をしていた女の人は、子供と学校のことをよく話しますか。
    a. よく子供に質問している　b. 学校のことにはあまり口を出さない
    c. 子供が学校のことを話したことはない
3. もうひとりの女の人は、何を心配していますか。
    a. 子供が英語を勉強したがらないこと
    b. 子供が宿題をしたがらないこと
    c. 子供が「英語は難しい」と言っていること
4. 子供たちのお父さんは、英語の勉強をどう思っていますか。
    a. ふたりとも、早くから勉強しなくてもいいと思っている
    b. ふたりとも、早くから勉強して、話せるようになるといいと思っている
    c. お父さんたちふたりが思っていることは、同じではない
5. ふたりの女の人は、子供の英語の勉強のことをどう言っていますか。
    a. 英語の勉強をいやがっているから、とても心配だ

b. 楽しく勉強してくれることが大切だ
　　c. ごしゅじんとそうだんして、どこかで英語の勉強をさせたい

🔊 聞きましょうB

　みなさんは、今、日本語を勉強していますが、私たちはどうして外国語を勉強しようとするのでしょうか。長く日本語を勉強している人が、どうして日本語を勉強するようになったのか、話しています。聞いて、いっしょに考えてみましょう。

　私が日本語の勉強を始めたのは高校時代です。ある日、父から「大学を卒業したら、自分の会社をてつだってもらいたいから、日本語を勉強するように」と言われ、それで始めました。初めは、日本語は難しいし、いやだなと思っていました。それでも勉強をしていると、だんだん楽しくなってきました。おもしろいことがたくさんあると思ったからです。そのひとつが、ものの見方のちがいです。
　たとえば、日本語の「います」と「あります」は、私の言葉では、ひとつです。どうしてふたつなくてはいけないのだろうと考えました。日本語を話す人たちは、人や動物、鳥を見るときは、まわりにあるつくえやいすなどの物を見るときとは、ちがう見方をしているのかなと思ったりしました。日本語を勉強するまで、言葉のことをよく考えてみることはなかったので、外国語の勉強はおもしろいなと思い始めました。
　大学生のときに、日本にりゅうがくし、それから、父の会社で日本と関係のある仕事をするようになりました。りゅうがくしている間に、言葉の勉強は、ちがう文化を学ぶことだということがわかりました。日本語は、今もわすれてはいけないと思って、勉強しています。仕事で使うからだけではなくて、外国語の勉強が、ものの見方を広げるのに大切なことだということがよくわかったからです。

1. 日本語の勉強
   ◆ 父に、会社をてつだってもらいたいので、日本語を勉強するようにと言われ、勉強を始めることになった。
   ◆ 日本語の勉強は初めはいやだったが、おもしろいことがたくさんあると思ったので、楽しくなってきた。
2. おもしろいと思ったこと
   ◆ 日本語ではどうして「います」と「あります」があって、自分の言葉ではひとつなのだろうと思った。
   ◆ 日本語を話す人たちは、人や動物を見るときは、物を見るときとは、ちがう見方をしているのかと思った。
3. わかったこと
   ◆ りゅうがくしているときに、言葉の勉強はちがう文化を学ぶことだとわかった。
   ◆ 今も勉強しているのは、外国語の勉強がものの見方を広げるのに大切なことだとわかったからだ。

練習しましょう

Ⅰ. 1. ①始めた ②初め ③文化 2. ④子供 ⑤心配 ⑥洗い
 3. ⑦私 ⑧相手 ⑨生徒 ⑩親 4. ⑪おとうさん ⑫おかあさん ⑬ねました
 5. ⑭きょう ⑮は ⑯むずかしい 6. ⑰まなんで ⑱ばめん

Ⅱ. 1. 思いも（しません）でした 2. 口を（出さ）なく 3.（手）を止めて
 4. 初めは（泳げませんでした）が 5. 仕事のことを（話し）始めた

Ⅲ. 1. 母（に）言われて 歯（を）みがいて 2. 今まで（より）広い世界
 3. 足（を）広げて 4. 入る前（から／に）子供（に） 勉強（を）させる
 5. 友だち（に）いやがられて

Ⅳ. 1. 先生が（言われた／おっしゃった）こと 2. 海に（行った）り、スポーツを（した）り
 3. おそばを（食べる）んだって 4. 場面が（出て）きた 5.（聞いて）きた

Ⅴ. 1. 私は、次は子供がどんな話をしてくれる（の）か、楽しみにするようになりました。
 2. 私は、先生がどんな説明をされた（の）か、聞いていませんでした。
 3. 私は、外国の子供がどうして寝る前に顔を洗う（の）か、よくわかりませんでした。
 4. 私は、日本語のじょうずな人がどんな勉強をしている（の）か、知りたいと思いました。
 5. 私は、日本人が自分たちの文化をどう思っている（の）か、友だちに聞いてみました。

読んでみましょう

Ⅰ. 1.（×） 2.（○） 3.（○） 4.（○） 5.（○） 6.（×）

Ⅱ. 1. 早くから勉強すれば、仕事で英語を使う場面になっても話せるようになるし、英語といっしょにちがう文化も学び、ものの見方を広げることも大切だと考えているからです。
 2. まず日本語で言葉がどんなものなのかを学び、自分の伝えたいことを正しく言ったり書いたりすることができなければ、日本語も英語もできなくなる心配があるからです。
 3. 子供たちが英語の勉強を楽しみにして、自分から勉強しようと思うことです。

第2課

聞きましょうA

Ⅰ. 1.（c） 2.（a） 3.（c） 4.（c） 5.（a）

A：ほら見て。けいた、①じょうずに歩けるようになったでしょう。自分の行きたい所があって、そこに着くと、私の顔見てにっこりするの。②おしゃべりもだんだんできるようになったし。
B：ほんとだ。けいた、こっち、こっち。

— 3 —

A：あ、あぶない。いつも動いてるんだから、よく見ててね。③この間はつくえの上にあがったりしたんだから。
B：わかったよ。今日は天気もいいし、けいたと公園へでも行ってみようか。
A：④外を歩かせるの、気が進まないな。小さな子供に当たったりしたらどうするの。
B：でも、けいたも、⑤家の中だけじゃおもしろくないだろう。
A：それはそうだけど、心配なの。
B：⑥歩きながら景色を見たり、新しい物を見つけたりできたら、楽しいと思うよ。そうして、⑦新しい世界のことを学んでいくんだろう、子供って。
A：歩いて学ぶの。
B：つくえの上にあがろうとするのも意味があるんだよ。⑧毎日見てる部屋がちがって見えるんだろう。それがおもしろいんだ。
A：わかるけど…。でも、わかっていながら、「あぶない」って、止めてしまうの。
B：いつもけいたの横にはいられないから、それもわかるけどな。でも、ときどきはけいたと同じ気持ちになって、⑨おもしろがってみるのも大切だろうな。
A：そうね。今日は⑩お父さんもいっしょだから、ふたりで子供と同じ気持ちになって、公園へ行くことにしようかな。
B：けいたといっしょに新しい世界を学ぶ日、それもいいね。

1. ふたりは何の話をしていますか。
    a. いつ家族で公園に行くかという話　b. だれが子供の世話をするかという話
    c. 子供が歩くことにどんな意味があるかという話
2. 子供は最近、何ができるようになりましたか。
    a. 歩くことや話すこと　b. 笑うことや景色を見ること
    c. 公園へ行くことや新しい物を見つけること
3. 母親が心配していることは何ですか。
    a. 子供が歩かなくなったこと　b. 子供がおしゃべりしなくなったこと
    c. 子供を外で歩かせること
4. 父親が大切だと思っていることは何ですか。
    a. 子供が動くのを見て、気をつけること　b. 子供が高い所にのぼったら、しかること
    c. 子供と同じ気持ちになってみること
5. 歩くことにはどのような意味があると言っていますか。
    a. 新しい世界が学べる　b. ほかの子供と会える　c. じょうずに歩く練習になる

聞きましょうB

　ひとりの写真家が、町にたくさん「顔」があるという話をしています。何のことかなと思うかもしれませんが、話している人は、私たちに物を見ることのおもしろさを伝えています。聞いてみてください。

　子供のとき、いろいろな物が人の顔に見えたことはありませんか。私は、何を見ても、人の顔に見えてしまうときがありました。友達とおしゃべりをしながら学校へ通うときや、勉強してい

るときも、ある物が顔に見えてしまうと、おしゃべりをやめ、顔のある方向へ歩いて行ったり、勉強の手を止めたりしてしまいます。私だけかなと思っていたら、そうではないらしく、小さいときに、いろいろな物が顔に見えると思う人は多いそうです。

　これは何かで読んだことですが、ほかの人の顔をおぼえることはとても大切なことですから、人は生まれたときから相手の顔を見るそうです。そのとき、目と鼻と口を注意して見るので、人の顔でない物の中にも目、鼻、口を見つけ、それを顔だと思ってしまうそうです。でも、おとなになると、「車だ」「家だ」と先に思ってしまうので、車は車に、家は家にしか見えなくなってしまうのだそうです。子供のときのような物の見方はできなくなるのでしょうね。

　その話を知って、私は今でも顔に見える物があるかなと思って、町に出てさがしてみました。そう思って町を歩いてみると、動いている物にも止まっている物にも、顔がありました。電車や車の顔はひとつひとつちがいます。にっこり笑っていたり、泣きそうにしていたり。私はまだ顔を見つけることができると思うと、ちょっとうれしかったですね。みなさんも町の中で顔をさがしてみてください。今までとは、景色がちがって見えますよ。

1. 子供のときに見えた物
    - 子供のとき、いろいろな物が人の顔に見えてしまうことがあった。
    - そんなときは、顔のある方向へ歩いて行ったり、勉強の手を止めたりした。
    - 小さいときに、いろいろな物が顔に見えるのは、この人だけではない。
2. どうして顔に見えるのか
    - 人の顔をおぼえることは大切なことなので、人は生まれたときから注意して相手の顔を見る。
    - それで、人の顔でない物の中にも目、鼻、口を見つけ、それを顔だと思ってしまうそうだ。
3. 町の中の「顔」
    - 話している人は、町を歩いて、顔に見える物があるかさがしてみることにした。
    - 顔をさがしてみれば、今までとは、景色がちがって見える。

練習しましょう

Ⅰ．1. ①乗って　②便利　2. ③笑って　④友達　⑤進ま　3. ⑥疲れる　⑦遊んで　⑧困って
　　4. ⑨かよう　⑩えしゃく　5. ⑪まわり　⑫さく　⑬けしき
　　6. ⑭せんでん　⑮よこ　⑯ほうこう　⑰けんとう

Ⅱ．1. 見当も（つかない）　2. 気が（進まない）が　3. 声が（耳）に入った
　　4. にっこり（して／笑って）　5.（かんたん／楽／たいへん）ではありません

Ⅲ．1. 友達（から）来た手紙（に）は、切手（が）はってありませんでした
　　2. テレビ（で）よく見る　町（で）見ました
　　3. 道（に）まよう　遠く（に／へ）行かない　4. バス（に）乗って
　　5. この目（で）見て、「これ（が）そうか」と思いました

Ⅳ．1. 料理を（作って）みた　2.（来る／来ない）かと　3. ジョンさんに（聞け）ば
　　4.（咲いて）いました　5.（困った）なと思いました

Ⅴ．1. 先月行った旅行は、おいしいものが食べられたり、きれいな景色が見られたりして、とても楽しかった。
　2. 休みの日も、子供の宿題をてつだったり、家で仕事をしたりして、いそがしい。
　3. 漢字は何度も書いたり、見たりして勉強するといい。
　4. 自分で作った料理は、からかったり、あまかったりして、あまりおいしくない。
　5. 子供のほしがる物は、ゲームだったり、本だったりして、いつも同じではない。

読んでみましょう

Ⅰ．1.（×） 2.（○） 3.（○） 4.（×） 5.（×） 6.（×）

Ⅱ．1.「外国へ来た」とはあまり思いませんでした。
　2. 空や道や建物がオレンジ色になったり、夜、広い空には星がたくさん出ていたりしたからです。
　3. テレビや写真ではしょうかいされることのないもの、「見つけた空」をおみやげに持って帰ってきてくれたと思いました。

第3課

聞きましょうA

Ⅰ．1.（c） 2.（c） 3.（c） 4.（c） 5.（b）

A：ねえ、お昼、何食べる。
B：さあ、①食べたい物ないなあ。コンビニでも行く。
A：でも、コンビニも毎日じゃねえ…。
B：②学校の食堂も、だいたいの物は食べたしなあ。
A：そうだよね。きのうの夜は何を食べたの。
B：きのうの夜、何だったかなあ。わすれた。
A：ええ、おぼえてないの。③家で作ってくれるんじゃないの。
B：うん、そうなんだけど…。でも、④バイト行く前に急いで食べたから、何だったかわすれた。
A：ふうん。私、何食べたかな。あ、⑤コンビニのサラダですましたんだ。作るの大変だし。
B：へえ、自分で作るの。
A：そうじゃないけど。最近、お母さんも忙しそうで、帰りがおそくなるときは、「⑥れいぞうこにある物ですましておいて」ってことになるから。
B：そうか。ま、⑦自分ひとりだったら、作らないな。最近は、⑧コンビニでも栄養のバランスを考えた商品も並んでて、それですませられるし。
A：で、どこ行く。
B：どこでもいいよ。食べたい物ないし。⑨何でもいいから早く食べに行こう。
A：私も何でもいいけど…。何かおいしい物、食べたいな。そうだ、この間、⑩学校の前に新しくできたレストランがいいんじゃない。だれだったか、おいしいって言ってた。

B：わかった。それなら早く行こう。次のじゅぎょうにおくれるよ。

1. ふたりは何の話をしていますか。
   a. コンビニの食べ物は栄養があるという話
   b. 毎晩、自分で食事を作るのは大変だという話
   c. 昼ご飯に何を食べるかという話
2. 男の学生は、きのうの夜、何を食べましたか。
   a. 自分で作った晩ご飯　b. コンビニのサラダ　c. おぼえていない
3. 女の学生は、きのうの夜、何を食べましたか。
   a. 自分で作った晩ご飯　b. 家の人が作った晩ご飯　c. コンビニのサラダ
4. ふたりはどうしてなかなかご飯を食べに行かないのですか。
   a. いろいろなレストランがあるから　b. 時間がないから　c. 食べたい物がないから
5. ふたりはこれから何をしますか。
   a. コンビニに行って、お昼ご飯を買う　b. 外のレストランでお昼ご飯を食べる
   c. 午後のじゅぎょうに出る

聞きましょうB

　どこでも長い間続いている料理があります。それはおいしいからだけではなくて、続いている意味があるからではないでしょうか。料理を研究している人が、日本でお正月に作られてきた料理の話をしています。聞いてください。

　お正月に家族がみんな集まって囲む料理は、昔から「おせち料理」とよばれ、料理のひとつひとつに意味があって、家族を大切に思う気持ちが伝えられています。たとえば、魚のたまごを使った料理は、たくさん子供ができるように、エビを使うのは、こしがまがるまで長く元気でいられるようにという意味です。
　私が子供のときは、「おせち料理」は家で作りました。どこの家でも、お正月が来る前に、忙しい、忙しいと言いながら、それでも楽しく作りました。時代が変わって、最近は、家で作ることが少なくなりました。今は10月に入ると、デパートやスーパーでは「おせち料理」を売り始めます。家族の中に「おせち料理」の作り方を知っている人が少なくなっているからだそうで、毎年、5万円以上の高い品物が先に予約されるそうです。
　みなさんのおうちではどうですか。教えてくださる方がいらっしゃるうちに、ひとつでもふたつでも、家で作ってみられたらどうでしょうか。私は、「おせち料理」を作る母の姿、妹と準備のおてつだいをしたこと、おせちを囲んで家族とすごしたなつかしい風景が、今でもわすれられません。食事は心に強くのこる家族との時間なのです。今年は「おせち料理」をひとつかふたつ、家族で作ってみませんか。いつまでもわすれられない、大切な時間になりますよ。

1. おせち料理
   ◆ おせち料理のひとつひとつに意味がある。
   ◆ <u>家族を大切に思う気持ちが伝えられている。</u>

2. 時代の変化
    - 昔は、「おせち料理」は家で作っていた。
    - 今は、家で作ることが少なくなった。
    - それは、作り方を知っている人が少なくなっているからだ。
3. 家族との時間
    - 料理を作る母の姿、妹と準備のおてつだいをしたこと、おせちを囲んで家族とすごしたことが今でもわすれられない。
    - 食事は心に強くのこる家族との大切な時間なので、家族で作ってみたらいい。

練習しましょう

Ⅰ. 1. ①昔 ②囲み 2. ③変わり ④忙しく ⑤準備 ⑥簡単
    3. ⑦姿 ⑧温めた 4. ⑨ふうけい ⑩よろこんだ
    5. ⑪たいへん ⑫こんや ⑬えいよう 6. ⑭ばんごはん ⑮ならんで

Ⅱ. 1. おなかが（すいて） 2. 時間を（かけて） 3. 栄養のバランスが（良い／考えられた）
    4. まどの外に（目）をやると 5. 大きな（声）を上げた 6. ほっと（した）

Ⅲ. 1. 変化（が）なければ 2. 外（で）食事（を）すます 3. 足（が／の）はやい子供
    4. たな（に）は 本（が）並んでいた 5. 外国（から）帰ってきた友達（を）囲んで

Ⅳ. 1. （遊び）疲れて 2. （温めれ）ば 3. （変わって）いなかった
    4. （帰って）くると 5. （急いで）タクシーに乗って

Ⅴ. 1. 私は公園で気持ちが良さそうに寝ている犬の写真をとった。
    2. 私は声を上げて喜んでいる子供たちの姿を見て、とてもうれしくなった。
    3. 私は友達が教えてくれた料理を作ってみたが、あまりおいしくできなかった。
    4. 弟は父が買ってくれた本を読んだらしいが、よくわからなかったそうだ。
    5. 先生は日本語の勉強が難しくて困っていた学生と会った。

読んでみましょう

Ⅰ. 1. （○） 2. （×） 3. （○） 4. （×） 5. （×） 6. （○）

Ⅱ. 1. どんな料理が出てくるのか楽しみに待っていたからです。
    2. 見たい番組が始まるまでに食べてしまおうと思っているからです。
    3. 昔は、みんな食事の時間を楽しみにしていましたが、今はそうではありません。

第4課

🔊 聞きましょうA

Ⅰ．1．(a)　2．(b)　3．(b)　4．(b)　5．(b)

A：どう、日本語の勉強。今、どんなこと習ってるの。
B：日本のことわざです。今日は、猫や犬を使ったことわざを習いました。①ことわざには、よく動物が使われるそうですね。
A：②動物を使ったのも多いけど、こんなの知ってる。「親の心、子知らず」「かべに耳あり」。そうだ、③体のどこかを使う言い方は習ったことある。
B：たとえば、どんなのですか。
A：たとえば、「目をさらのようにして見る」ってどんな意味だと思う。
B：④目をよくみがいたおさらのようにして、正しく見るという意味ですか。
A：ざんねん。「目をさらのようにして見る」というのはね、⑤「注意してよく見る」って意味よ。
B：どうして⑥「注意して」という意味になるんですか。
A：だって、物をさがすときは注意して見るから、⑦目が大きくなって、さらのような形になるでしょ。
B：そうですか、初めて知りました。でも、それはことわざとはちがいますね。
A：そうね、たとえよね。
B：⑧何かにたとえて言うことは多いけど、たとえに使う言葉が私たちとちがうので、難しいですね。面白いけど、外国人には⑨あまり使わないでほしいなあ。
A：そうか、難しいのね。今日習ったことわざを教えてよ。
B：ええっと、一番好きなのはあれです。日本人は忙しいとき、猫に手伝ってもらうんですよね。
A：ああ、「猫の手も借りたい」。⑩そんな親切な猫がいたら、私も手伝ってほしいなあ。

1. りゅうがく生は学校で何を習いましたか。
    a. 動物を使ったことわざ　b. 体のどこかを使ってたとえる言い方
    c. おさらを使ってたとえる言い方
2. りゅうがく生は「目をさらのようにして見る」というのは、どういう意味だと思いましたか。
    a. さらのように大きくてきれいな目で見る
    b. よくみがいたさらのような目で正しく見る　c. さらのように黒くて大きい目で見る
3. 「目をさらのようにして見る」というのは、どういう意味ですか。
    a. おこって目をさらのような形にするという意味
    b. 物をさがすとき、注意してよく見るという意味
    c. 正しい見方で相手をよく見るという意味
4. 何かにたとえる言い方をしないでほしいと言っているのは、どうしてですか。
    a. 「目がさらのようだ」という言い方はあまり使わないから
    b. 日本語と外国語では、たとえ方がちがうから
    c. 動物のことわざを使ったほうがわかりやすいから
5. りゅうがく生の好きなことわざは何ですか。
    a. 猫の額　b. 猫の手も借りたい　c. 猫に小判

🔊 聞きましょうB

　日本語学校の校長先生が、入学式で、新しく日本へ来た学生たちに「学ぶ」ということはどういうことなのか、ことわざを使って自分の考えを伝えようとしています。私たちにも役に立つ話だと思います。聞いてみてください。

　皆さん、ご入学おめでとうございます。皆さんが私たちといっしょに勉強することになって、とてもうれしく思います。ご両親や友達とわかれ、りゅうがくして来られた皆さんは、どんな気持ちで今ここにいるのでしょうか。生活が変わって、心配な人もいるでしょう。新しい所で多くのことを学びたいと思っている人もいるでしょう。ぜひここで学び、自分の世界を広げてほしいと思います。
　皆さんは「馬を水のある所につれていくことはできるが、水を飲ませることはできない」ということわざを聞いたことがありますか。これは「馬が自分で水を飲みたいと思わなければ、ほかの人が飲ませることはできない」という意味です。この学校の先生方はとても親切で、いっしょうけんめいに教えてくださる先生ばかりです。しかし、このことわざが言うように、先生方がいくら教えても、学生である皆さんが勉強しなければ、意味がありません。本当に学びたいと思わなければ、先生方に習ったことも役に立たないのです。
　でも、ずっと勉強し続けるのも難しいですね。ついいやになり、のんびりしたいなと思うこともあるでしょう。そんなときは、私が紹介したことわざを口に出してみてください。先生方の仕事は良い水のある所に皆さんをつれていくこと、そして、水を飲むのは皆さんです。誰かが教えてくれると待っていないで、自分から学びましょう。そうすれば、きっと世界が変わります。皆さんも変わります。私はそれを楽しみにしています。

1. 話を聞いている学生たち
   - ここにいるのは、ご両親や友達とわかれ、りゅうがくして来た学生たちだ。
   - 生活が変わって心配な人や、新しい所で多くのことを学びたいと思っている人がいるだろう。
2. 話の中のことわざ
   - 「馬を水のある所につれていくことはできるが、水を飲ませることはできない」ということわざがある。
   - これは「馬が自分で水を飲みたいと思わなければ、ほかの人が飲ませることはできない」という意味だ。
   - このことわざのように、先生方がいくら教えても、学生が勉強しなければ、意味がない。
3. 伝えたいこと
   - 勉強がいやになり、のんびりしたいと思ったときは、このことわざを口に出すと良い。
   - 誰かが教えてくれることを待たずに、自分から学んでほしい。

✏️ 練習しましょう

Ⅰ．1. ①小判　②価値　2. ③紹介　④面白くて　⑤役　⑥続け
　3. ⑦借りた　⑧回る　4. ⑨はたらけ　⑩みなさん　⑪てつだって
　5. ⑫にわ　⑬ねこ　⑭だれ　6. ⑮ひたい　⑯ふつう　⑰せまい

Ⅱ．1. 手に（入れた）んですか　2. 目が（回る）ほど忙しくて
　　3.（口）に出した　4.（役）に立たなければ　5. ずっと（待っている）
　　6. それほど（からくありませんでした／でもありませんでした）

Ⅲ．1. 仕事（が）面白くなくても　2. 小判（を）手（に）して　3. 誰か（に）手伝って
　　4. 私（に）は家（に）置いてあった　5. 動物（と）生活をしてきた

Ⅳ．1. のんびり（でき）ない　2.（見る）価値がない　3.（使い）続けられてきた
　　4. つい（言って）しまった　5. そうじを（して）も

Ⅴ．1. いいえ、たとえアメリカに行っても、毎日勉強しなければ、英語が話せるようにはなりません。
　　2. いいえ、たとえ辞書を引いても、使わなければ、おぼえられません。
　　3. いいえ、たとえご飯をたくさん食べても、運動しなければ、元気に育つとは思いません。
　　4. いいえ、たとえ高いカメラを使っても、うまく使えなければ、いい写真はとれません。
　　5. いいえ、たとえ漢字をたくさん書いても、使わなければ、おぼえられません。

読んでみましょう

Ⅰ．1.（×）　2.（○）　3.（○）　4.（○）　5.（×）　6.（○）

Ⅱ．1. 長く説明しなくても、簡単にうまく意味が伝えられるからです。
　　2. 社長の言うことをよく聞いて、いっしょうけんめい働く人たちのことです。
　　3. 面白くて、長く使われ続けてきた言い方だし、きっと役に立つと思っているからです。

第5課

聞きましょうA

Ⅰ．1.（c）　2.（a）　3.（b）　4.（c）　5.（a）

A：今日は、番組に来ていただいた留学生の皆さんに、①日本でおどろいたことを話していただいているんですが、ブバーンさんはどうでしょうか。
B：②日本に来たばかりのころは、人が歩くのがはやい、食べ物が高いことなどにおどろきました。中でも一番は、③はれてもくもっても、それを知らないで生活している人がいることですね。
A：ええ。そんな人たちがいるんですか。
B：はい。一日じゅう、④空も見ないで生活する人がいるんです。アルバイトしているお店の人たちです。地下で仕事をしているので、いつ暗くなったのか、⑤暑いのか寒いのかもわからないそうです。信じられなかったし、⑥ふしぎでたまりませんでした。
A：そうか。一日じゅう、⑦外に出ないで生活しているからなんですね。

B：それを聞いて、⑧びっくりしたと言うか、あきれたと言うか…。私だったら、がまんできません。
A：ブバーンさんはネパールから来られたんでしたね。ネパールでは、⑨地下で働くような人はいないんですか。
B：ネパールでは、空が明るくなると仕事を始めて、それから暗くなるまで外で働く人が多いです。
A：へえ、そうですか。私も⑩こうして建物の中で仕事をしていますからね。ブバーンさんには、がまんできないような生活だということですね。
B：そうですね。ときどき、いいお天気のときには、外に出たほうがいいですよ。
A：よくわかりました。ブバーンさん、どうもありがとうございました。

1. この番組では、何を紹介していますか。
   a. 日本で働く外国人はとても大変だということ　b. 外国人と働く日本人のこと
   c. 外国人が日本の生活でおどろいたこと
2. 質問されている人はどんな人ですか。
   a. ネパールから来た留学生　b. 仕事をするために日本へ来た外国人
   c. テレビの仕事をしている人
3. この人は何におどろいたと言っていますか。
   a. 長い時間、仕事をし続けること　b. 天気も知らずに一日すごす人がいること
   c. 外に出ない人がおおぜいいること
4. どうしてそのことにおどろいたのですか。
   a. 地下で働くのがいやだから　b. 働く時間が長すぎると思ったから
   c. ネパールでの働き方とずいぶん違うから
5. この人が言いたかったことは何ですか。
   a. 天気も知らずに一日すごすのは、がまんできないことだ
   b. 休みもなく一日じゅう働き続けるのは、がまんできないことだ
   c. 建物の中でなく、外で働くのは気持ちのいいことだ

聞きましょうB

「あきれる」という言葉は、日本語を話す人に、どういう意味かと聞いてみても、なかなかわかりにくい言葉です。言葉を研究している人が、どうしてわかりにくいのか話をしています。聞いてください。みなさんの勉強の役に立つと思います。

「あきれる」という言葉は、面白い言葉ですね。「おどろく」や「びっくりする」とは違うんです。近くで大きな音がしたり、暗い道で急に人が出てきたりすると、「びっくりした」と言いますが、「あきれる」とは言わないんですね。「あきれる」と思うのは、誰かが何かを自分では普通のことだと思ってやっている場面を見たときが多いです。たとえば、電車の中で、パンやおにぎりを取り出して食べる人がいる。その人は、おなかがすいてたまらないから、がまんできなくて食べる。それだけのことなのに、周りの人は、「こんな場所で食べるなんて…」と「あきれる」んです。

ここで、考えてみたいのは、どうして「あきれる」かってことなんです。それは「おなかがすいたときに、どこで、何を食べるか」ということが、どの人も同じとは言えないからです。男性か女性か、年はいくつかなどで、「普通のこと」と思うかどうかは違うでしょう。

　私が言いたいのは、「あきれる」ときに、人は自分の持っている考え方がみんなと同じではないとわかるということです。ある場面を見て「あきれる」のは、「自分ならこんなことしないのに」という思いがあり、相手のしていることを普通ではないと思ってしまうからです。ものの見方や考え方は、みんな違います。普通ではないと思ったとき、どちらが正しいかではなく、どうしてそうするのだろうと考えてみることが大切です。そうすれば、「あきれる」ことは、ものの見方や考え方を広げることになるのではないでしょうか。

1. 「あきれる」という言葉
   - ◆「あきれる」という言葉は、面白い言葉で、「おどろく」や「びっくりする」とは違う。
   - ◆「あきれる」と思うのは、たとえば、電車の中で、パンやおにぎりを取り出して食べている人を見たときだ。
2. どうして「あきれる」か
   - ◆「あきれる」のは、「おなかがすいたとき、どこで、何を食べるか」ということが、どの人も同じとは言えないからだ。
   - ◆「普通のこと」と思うかどうかは、男性か女性か、年はいくつかなどで違う。
3. 「あきれる」ことから学ぶこと
   - ◆ 人は、「あきれる」ときに、自分の考え方がみんなと同じではないことがわかる。
   - ◆ 普通ではないと思ったとき、どちらが正しいかではなく、どうしてそうするのか考えてみることが大切だ。

練習しましょう

Ⅰ．1. ①静か　②眠って　③様子　2. ④列　⑤並んだ　⑥途中　⑦満員
　　3. ⑧夢中　⑨誰　⑩信じ　4. ⑪おとしより　⑫れいぎただしく　⑬りゅうがくせい
　　5. ⑭けいたい　⑮おとな　⑯ちがう

Ⅱ．1. 席を（取って）おいて　2. 列に（並んで）ください　3. 手を（貸そう）と
　　4. 機会が（あった）ので　5. じっと（見て）話す　6. （カタカナ／漢字）ほど難しい

Ⅲ．1. 音楽（に）夢中で　2. 高い（の）はわかる　暑さ（に）はがまんできません
　　3. 教室（に）入ると、かばん（から）本（を）取り出して
　　4. けんか（を）して　周り（に）いる
　　5. 大声（を）上げている大人たち（に）あきれました

Ⅳ．1.（さわぎ）始めた　2.（あきれて）何も言えなくなる
　　3. 生活に（なれる）だけで　4.（信じられ）ない　5. 様子を（見て）きた

Ⅴ．1. うれしかったことは、病気のときに、みんなが心配してくれたことです。元気になって

から、みんなにお礼を言おうと思っています。
2. ざんねんなことは、あしたのパーティーに先生が来られないことです。今度パーティーをするときは、先生が休みの日にしようと思っています。
3. あきれたことは、お年寄りに親切にしない人がいたことです。困っているお年寄りを見たら、いつも助けてあげようと思っています。
4. 困ることは、日本人が自分の気持ちをはっきり言わないことです。意味がはっきりわからないときは、相手にどういう意味なのか聞こうと思っています。
5. 大変なことは、勉強しながらアルバイトもしなければならないことです。でも、勉強のほうが大切ですから、アルバイトをするのは休みの日だけにしようと思っています。

読んでみましょう

I. 1.（○） 2.（×） 3.（○） 4.（○） 5.（○） 6.（×）

II. 1. 電車やバスでお年寄りが立っているのに何もしないことや、お酒を出す所で親が子供と食事をしていることです。
2. パーティーなど、大人のための場所には、子供が入っていくことができないような文化です。
3. 文化が違う、時代が変わったと言ってすましていいのだろうかと思っています。

第6課

聞きましょうA

I. 1.（a） 2.（c） 3.（a） 4.（b） 5.（c）

A：ああ、ほんと、うんざりする。
B：何が。そんなに大変なの。何か言われた。
A：そうじゃなくて、山田君よ。①ちょっとしたことで質問ばかりしてきて、たのんだ仕事がなかなかできないのよ。
B：間違わないように気をつけてるんでしょ。
A：②気にかかることがあると、ひとつひとつ相談するから、時間がかかって、かかって…。
B：それは必要なことでしょ。③せんぱいの話はよく聞くものですからね。
A：ねえ、はるか、④ずいぶん思いやりがあるのね。山田君のこと、気に入ってるの。
B：山田君ね、うん、ま、⑤そういうことにしときましょう。
A：何よ、それ。私のことも考えてよ、もう…。
B：わかってるわよ。でもね、のぞみ、⑥できるだけ相手のいい所を見るようにしてみたら。
A：それ、どういうこと。いい所なんてあるのかなあ。
B：⑦そんなこと言うもんじゃないわ。あるのよ、誰にでも。そしてね、できるだけ⑧いい言葉を選んで、相手のことを考えてみて。「あの人は仕事がおそい」じゃなくて、「⑨よく準備してから仕事をする人だ」とか。そうすれば、あまりいやな人だと思わなくなるから。

— 14 —

A：まあ、たしかにそうかもね。ふしぎね、⑩言葉の使い方で見方も変わるってことか。私も⑪いじめてるつもりはないんだけど、なかなか伝わらないから、つい⑫命令するような話し方になってしまって。
B：いいのよ、それで。山田君もきっとのぞみの思いやりを感じてるわよ。
A：そうかなあ。そうだといいけど…。

1. ふたりの女の人はどんな関係ですか。
   a. 同じ会社で何年か仕事をしている友達　b. 会社に入ったばかりの友達
   c. 会社のせんぱいとこうはい
2. ふたりは何の話をしていますか。
   a. いっしょに働いている男の人をやめさせたいという話
   b. いっしょに働いている男の人は仕事ができるという話
   c. いっしょに働いている男の人に困っているという話
3. うんざりしている女の人は、いっしょに働いている男の人をどう思っていますか。
   a. 仕事がおそい人だ　b. 思いやりがある人だ　c. よく準備をする人だ
4. その話を聞いたもうひとりの女の人は、どんな話をしましたか。
   a. せんぱいの話は何でもよく聞いたほうがいい
   b. 相手のいい所を見て、いい言葉を選んで使ったほうがいい
   c. 相手に命令して、早く仕事をさせたほうがいい
5. この会話の中で、「ふしぎだ」と言っているのはどんなことですか。
   a. いつも命令のような話し方になること　b. 相手になかなか話が伝わらないこと
   c. 言葉の使い方が変われば、見方も変わること

聞きましょうB

　長く日本で生活をしていて、仕事で日本語を使っている外国の人が話しています。日本語がじょうずだと言われて、「いや、難しい」と話しています。話を聞くと、自分が本当に伝えたいことを正しく伝えるためには何が必要なのか、そのひとつを教えられるようです。聞いてください。

　漢字や敬語もそうですが、「あれ」という言葉が難しいですね。朝、会釈をしてくださるお年寄りと短くお話しするのですが、空を見て「今日はあれですね」とおっしゃるのが、初めはわかりませんでした。その後に、いつも、「むし暑くなりますね」とか「雨のようですね。かさは」とか、お天気の話をされるのです。今は、もうなれて、「かさは」と聞かれる前に、「かさ、持ってますよ」と言ったりします。といっても、「あれ」はまだ難しいです。
　「こう言うとあれですが…」と言って話を始める人がいます。「あれ」は何だろうと気にかかります。「気をつけて、そこはあれだから」と言われたときは、そうじが終わったばかりで、すべりやすいときでした。また、会社の上の人から「また残業になってあれだけど」とたのまれたこともあります。「あれ」は、「続いてしまって悪いけれど」とか「仕事がふえて、すまないけど」という意味だろうと自分で考えました。
　日本語が難しいなと感じるのは、日本人なら誰でもわかることが、自分だけわからないときです。別に、言葉を知らないからではなく、本当にちょっとしたことで、「あれ」もその例です。

日本人には全部言わなくても伝わるのでしょうが、外国人にはわかりにくいですね。外国語は時間をかけて学ぶものだとわかっているつもりでも、ときどき、どこまで勉強する必要があるのだろうと考えてしまいます。

1. 難しい言葉
   ◆ 「あれ」という言葉が難しい。
   ◆ お年寄りが「今日はあれですね」と言うのが、初めはわからなかった。
2. 「あれ」の使い方
   ◆ 「気をつけて、そこはあれだから」と言われたのは、そうじが終わったばかりで、すべりやすいときだった。
   ◆ 「また残業になってあれだけど」は「続いてしまって悪いけれど」とか、「仕事がふえて、すまないけど」とかいう意味だろう。
3. 日本語の難しさ
   ◆ 「難しい」と感じるのは、日本人なら誰でもわかることが、自分だけわからないときだ。
   ◆ 全部言わなくても日本人には伝わるだろうが、外国人にはわかりにくい。
   ◆ 外国語は時間をかけて学ぶものだ。
   ◆ しかし、ときどき、どこまで勉強する必要があるのだろうと考えてしまう。

練習しましょう

Ⅰ. 1. ①若い ②必要 ③感じて 2. ④払った ⑤間違って ⑥別
3. ⑦特急 ⑧残業 ⑨投書 4. ⑩けいご ⑪めいれい ⑫のこして ⑬きんし
5. ⑭じょうしゃ ⑮がまん 6. ⑯けん ⑰はなれて ⑱いちにちじゅう

Ⅱ. 1. 気に（かかって） 2. 目に（して）も 3.（気）に入らない
4. 思ったように（とれない／うつせない／使えない）
5. ちょっとした（お礼／プレゼント） 6. できるだけ（食べる）ように

Ⅲ. 1. 言葉（に／から）は、子供たち（へ）の思いやり（が）感じられる
2. 自分（で）は　友達（に）は 3. ここ（から）遠く離れた
4. 朝早く（から）　アナウンス（に）は 5. 文化（に）ついて

Ⅳ. 1. 用意を（し）なさい 2.（寝よう）としても、なかなか（寝られない）
3. お（書き）になって 4.（言われた／言われている）ように
5.（間違って）おぼえている

Ⅴ. 1. 私は大学院でのじゅぎょうがこんなに大変だとは思いもしなかった。
2. 私は休みの日にすごす家族との時間を大切にしようと思っている。
3. 山田さんへのお礼のプレゼントを、私は何にしようかと思っている。
4. 友達からのメールには、来年結婚するということが書いてあった。
5. 外国の人たちとの話し合いで、自分の国には困っている人がいないだろうかということ

を考えた。

読んでみましょう

Ⅰ．1.（○）　2.（×）　3.（×）　4.（○）　5.（×）　6.（○）

Ⅱ．1. 伝えたいことを全部言葉にせず、心でわかり合うことが良いという考え方があります。
　　2. 自分のほしい物、言いたいことをはっきりと言わなかったからです。
　　3. 違う考え方を知って、できるだけ正しく伝わるよう、話し方について考えることが大切だと言っています。

第7課

聞きましょうA

Ⅰ．1.（c）　2.（b）　3.（a）　4.（b）　5.（a）

A：ねえ、まきって最近やせた。
B：あ、わかる。ふふふ。今、このお茶飲んでるの。南アメリカのお茶だって。
A：あ、これ、今売れてるお茶でしょ。何とかって①外国のスターが飲んで話題になったよね。ポスター見たことある。
B：そうそう。飲み始めて3週間ぐらいなんだけど、②だんだん理想の体重になってきた感じ。
A：へえ、でも、ちょっとにおいが…。まるで草のような、動物のような…。
B：そう言わないで、ちょっと飲んでみてよ。③なれると別にいやじゃなくなるから。
A：④せっかくだけど、やめとく。中身がよくわからないし…。まきも⑤あまり飲まないほうがいいんじゃない。体に良くないかも…。
B：気にしすぎだって。味は悪いけど、⑥この会社名が入ってるから安心。
A：でも、⑦よく食べ物や化粧品の影響が問題になってるから、気をつけてよ。まきはほそいんだから、⑧そんなにやせる必要ないんじゃない。
B：ううん、あと2キロはやせないと。夏も近いしね。今週から⑨毎日1時間走って、晩ご飯も食べないことにした。
A：ええ、そこまでしなくても…。ま、⑩確かに外見で判断されることは多いけど、人間は中身でしょ。
B：もちろん中身は大切ですよ。でもね、⑪外見をみがくのだって努力が必要なの。さくらも⑫もうちょっとお化粧とかしてみれば。ちょっと地味なんじゃない。
A：そうかなあ。でも、体をこわさないことね。やせすぎて突然たおれても知らないから。

1. ふたりは何の話をしていますか。
　　a. どうすればやせられるかという話　b. お茶を飲みすぎて体が悪くなったという話
　　c. 外見を気にするのがいいかどうかという話
2. 女の人がやせたのはどうしてですか。

a. 外国のスターのポスターを見たから　b. 今話題になっているお茶を飲んでいるから
   c. 3週間、毎日運動しているから
3. やせた話を聞いた女の人は、どんなことを心配していますか。
   a. 体に悪い影響があるかもしれない　b. あと2キロやせるのは難しいかもしれない
   c. 味やにおいが良くないので、続けられないかもしれない
4. やせた女の人は、外見と中身についてどう思っていますか。
   a. 外見も中身も、どちらも気にしすぎないほうがいい
   b. 外見も中身も大切だが、外見をみがくのも努力が必要だ
   c. 外見より中身を大切にして、努力しなければならない
5. それを聞いて、もうひとりの女の人は、どう思っていますか。
   a. 外見を気にしすぎて体をこわしてはいけないと思っている
   b. 自分も外見をみがく努力をしなければならないと思っている
   c. 人間は中身が大切だから、外見は問題ではないと思っている

聞きましょうB

　私たちは、仕事を選ぶときにいろいろなことを考えて選びます。ひとりの人が、卒業した学校で、これから仕事をさがそうとしている学生たちに話しています。仕事を選ぶときに、どんなことを考えるのか、聞いて、いっしょに考えてみましょう。

　仕事を選ぶといっても、皆さんはまだ時間があると思っているでしょう。私も卒業が近くなるまでは、何をしたいかなんて考えていませんでした。私の家は、町では少し大きい会社で、工場を持っているので、家族も友達も、私は家の仕事をするだろうと信じていました。そうするのが一番楽だとわかっていたんですが、子供のときからひとつ決めていたことがあって、それは父と同じ仕事はしないってことでした。そう話すと、周りからは、「せっかく仕事があるのに」とか「父親の会社なら安心なのに」とよく言われました。

　皆さんが聞いたら、「そんなことで」と言われそうな本当にちょっとした理由があって、家の仕事はしないと決めていたのです。理由というのは、子供のころから、大人になったら、ネクタイをしめて出かけたいと思っていたからです。朝、会社員のふくそうで、好きなネクタイをして、電車に乗って会社へ行く、そんな生活をしようと決めてたんです。それを友達に話したら、よく笑われましたね。「会社員なんて、満員電車で会社へ行って、おそくまで残業して、家族と話すのもいやになるほど疲れて帰って、寝るだけだよ」って。その友達の父親は会社員でしたから。

　私は1日工場の制服ですごす父の姿を見て育ちました。工場がとなりだったので、父は制服を着て朝ご飯を食べ、昼休みに家へ帰ってくる。よごれた制服で昼ご飯を食べて、また工場へ行く。私はそれを見て、社会へ出たら、毎朝ネクタイをしめて会社へ行くような生活が理想だと思いました。ふくそうで仕事を決めるなんて良くないけど、そんなことが影響することもあるんです。

1. 家の仕事
   ◆ 町では少し大きい会社で、工場を持っている。
   ◆ 家族も友達も、話している人は家の仕事をするだろうと信じていた。

2. 子供のころのこと
    ◆ 子供のころから、大人になったら、ネクタイをしめて出かけたいと思っていた。
    ◆ 父親が会社員だった友達からは、「会社員なんて、満員電車で会社へ行って、おそくまで残業し、家族と話すのもいやになるほど疲れて帰って、寝るだけだ」と笑われた。
3. 仕事を決めた理由
    ◆ 話している人は、一日中工場の制服ですごす父の姿を見て育った。
    ◆ それで、毎朝ネクタイをしめて会社へ行くような生活が理想だと思った。
    ◆ ふくそうで仕事を決めるなんて良くないが、父の姿に影響された。

練習しましょう

Ⅰ. 1. ①制服 ②決めた 2. ③努力 ④負けて ⑤突然
   3. ⑥理想 ⑦判断 4. ⑧えいきょう ⑨せんきょ ⑩あんしん
   5. ⑪めいし ⑫かたがき ⑬あらわして ⑭しんらい
   6. ⑮じみ ⑯しんがく ⑰けしょう 7. ⑱むし ⑲しゅじゅつ ⑳にんげん ㉑たしか

Ⅱ. 1. 話題に(する) 2. 影響を(受けて) 3. (首)をかしげたくなる
   4. (気)にしないで 5. まるで(魚の)ように 6. (英語)はもちろん

Ⅲ. 1. 同じような年の人(に)は負けない
   2. 先生(に)作文(を)見せた 読む人(に)何を伝えたいのか
   3. 大学(に)進学したい 4. 子供のころ(から) 外見(で)人を判断して
   5. ポスター(に)は、「思いやりのある社会を」(と)書いてあった

Ⅳ. 1. (決める)ように 2. 影響(され)やすい 3. 良く(見せ)たがる
   4. 化粧を(する／している)女の人 5. (働く)と同時に

Ⅴ. 1. 外国語の勉強で、言葉をおぼえることは、もちろん大切なことだ。しかし、それを使わなければ、意味がない。
   2. お酒の飲みすぎは、もちろん体に良くない。しかし、飲みすぎなければ、問題はないだろう。
   3. 外国で生活するのは、確かに大変だ。しかし、言葉ができるようになれば、きっとなれるだろう。
   4. 先生のおっしゃることは、確かに大切なことばかりだ。しかし、学生が学びたいと思わなければ、何にもならない。
   5. 動物を使ったことわざは、確かに面白い。しかし、相手に意味が伝わらなければ、役に立たないだろう。

読んでみましょう

Ⅰ. 1. (○) 2. (○) 3. (×) 4. (○) 5. (○) 6. (○)

Ⅱ．1. 若い人たちが、それまでとは違う新しい考え方を持って、新しい時代が始まったということを、外見を使って伝えようとしていると考えました。
2. かみの毛を金色やピンクにする人が出てきました。
3. 「社会が決めた生活をしていたのでは何も変わらない。新しい考えも出てこない」と考え、それまでとは違う外見で、周りに何かを伝えようとしているからだと言っています。

第8課

聞きましょうA

Ⅰ．1.（a） 2.（b） 3.（a） 4.（c） 5.（c）

A：やだ、また泣いてる。①ちょっといい場面になると、すぐ泣くんだから…。
B：何だよ、いいじゃないか。いいえいがだよ、これ。長い間家を離れてた夫がね、家に帰る前にはがきを書くんだよ。②今でも自分のことを待っててくれるなら…。
A：「黄色いハンカチ」でしょ。私も見たことある。
B：じゃ、わかるだろ、あの場面。目をやると、青空に黄色いリボンがたくさん…。
A：ハンカチでしょ。わかった、わかった。いいから、もう泣かないでよ。
B：③せっかく説明してるのに、何だよ。④男が泣いたっていいじゃないか。
A：そりゃあ、時にはね。でも、最近の男の人って、⑤何となく人の前で泣くのを気にしてない感じがするな。会社でも、⑥部長の許可が出ないとか、納得できないとか言って、男性がよく泣くし。⑦いったいどうなってるのか、ほんと理解できない。
B：ぼくは会社では泣かないよ。子供のころ、よく父に「男のくせに」とか「お前は長男だぞ」ってしかられたもんだ。考えてみると、⑧「男のくせに」っていうのが父の口癖だったな。
A：うちもそう。家族が顔をそろえると、「女の子なんだから、ちゃんとすわって」なんて、⑨娘の私だけ区別するの。兄や弟には言わないのに。
B：そうやって、⑩知らず知らずのうちに、男の子や女の子のやり方を身につけてきたんだな。でもさ、ふしぎだよ。なんで男が泣いちゃいけないの。⑪なんで男だけが我慢しなくちゃならないんだよ。
A：それもそうか。⑫男は泣かないものだって思い込まされてただけかも…。よし、わかった。これからはいつでも泣いていいよ。私がちゃんとそのわけを聞いてあげるから。
B：やめろよ、からかうなよ。ほんと、「女のくせに」って言いたくなるなあ。

1. 男の人は何をしていますか。
    a. いいえいがを見て泣いている b. 女の人と話してけんかをしている
    c. 昔のことをなつかしいと思っている
2. 女の人は何が理解できないと言っていますか。
    a. えいがの場面を説明してくれたこと b. 人の前でも気にせず泣く男の人がいること
    c. 会社で部長が許可を出さなかったこと
3. 男の人は子供のころ、どんなことを言われましたか。
    a. 男だから泣いてはいけない b. 男だから我慢してはいけない

— 20 —

   　c．男だからからかってはいけない
4．女の人はどのように育ちましたか。
   　a．兄や弟からいつもしかられていた　　b．誰からもしかられずに大切にしてもらった
   　c．娘の自分だけが大人たちからいろいろと注意された
5．男の人は、何がふしぎだと言っていますか。
   　a．「男のくせに」が父の口癖だったこと　　b．女の人が男の兄弟と区別されたこと
   　c．男だけが泣くのを我慢しなければならないこと

🔊 聞きましょうB

　毎日使っている言葉が、聞いている人をいやな気持ちにさせると言われたら、どう思いますか。言葉は自分の考えを伝えたり、人の考えを聞いたりするためにあるのですが、その言葉で人をいやな気持ちにさせることがあるとしたら、問題だと思います。話を聞いて、いっしょに考えてみましょう。

　今日は、私たちがいつもよく使う言葉について考えてみましょう。皆さんは「女子会」という言葉を知っていますか。女性だけでご飯を食べながらおしゃべりする集まりのことですが、この間、娘が「女子会」の話をしたところ、仲間のひとりから「大人なのに『女子会』なんて」と笑われたそうです。なるほど、「女子」という言葉は、「女の子」を短くした言葉で、小学校や中学校で使われることが多いので、子供を意味するのだと思ったんでしょう。

　このように、よく使われる言葉が、言葉の本当の意味とは違うこともありますが、もっと困るのは、何も考えずに言った言葉が、時には、相手をいやな気持ちにさせてしまうことです。たとえば、夫を「しゅじん」、妻を「かない」と言う人がいます。当たり前のように使っている人も多いと思いますが、私は、どうかなと思います。「しゅじん」は上と下の人間関係で、上の人を表す言葉ですし、「かない」は家の中という意味で、家にいて仕事をする人のことです。年代が違えば感じ方も違いますが、男性と女性のこんな関係はとても理解できないと思う人も、今は多いでしょうね。

　私たちが気にしないで使っている言葉にも、社会や文化が共有しているものの考え方が表されていることがあります。みんなが使うのだから、正しいと思い込んでいます。しかし、もしその思い込みが人をいやな気持ちにさせるなら、気をつけたほうがいいですね。人と話していて、「あれ」と思ったら、時には、そのわけを考えてみてもいいのではないでしょうか。

1．「女子会」という言葉
   - ◆「女子会」は女性だけでご飯を食べながらおしゃべりする集まりのことだ。
   - ◆「女子」は「女の子」を短くした言葉だ。
   - ◆娘が笑われたのは、「女子」という言葉が子供を意味すると思われたからだ。
2．使い方を考えさせられる言葉
   - ◆「しゅじん」は上と下の人間関係で上の人を表す言葉で、「かない」は家にいて仕事をする人という意味だ。
   - ◆今では、男性と女性のこのような関係をとても理解できないと思う人も多いだろう。

3. 私たちの思い込み
   ◆ 言葉には、社会や文化が共有しているものの考え方が表されることがある。
   ◆ 正しいと思い込んでいることが人をいやな気持ちにさせるなら、気をつけたほうがいい。

練習しましょう

Ⅰ．1. ①区別　②基準　③理解　2. ④仲間　⑤増えた　3. ⑥当たり前　⑦思い込んで
　　4. ⑧個性　⑨派手　⑩共有　5. ⑪むすめ　⑫えがいた
　　6. ⑬ちょうなん　⑭けいけん　⑮くちぐせ　7. ⑯きょか　⑰もとめ　⑱なっとく

Ⅱ．1. 身に（つく）　2. 身に（つけた）　3. （首）を長くして　4. （顔）をそろえて
　　5. いったい（いつ）まで　6. とうとう（来なかった／来ずじまいだった）

Ⅲ．1. 私（に）は納得できない　2. そのえいが（に）は　人間の姿（が）描かれていた
　　3. 何を基準（に）今度の試合（に）出る選手（を）選んだのか
　　4. 子供（に）セーター（を）着せた
　　5. 男は外（で）働き、女は家（で）仕事をする　男（と）女（を）区別して

Ⅳ．1. なかなか（決まらない）　2. リボンを（した／している）のが
　　3. （返さず／返せず）じまい　4. （からかわれて）いる　5. 理解（できない）

Ⅴ．1. 友達なら、困っているときに手伝うのは当たり前だと言われる。なるほど、そうかもしれない。しかし、時には何もせず、友達の話を聞くだけのこともある。
　　2. 経験が長い人なら、何でもうまくできるのは当たり前だと言われる。なるほど、そうかもしれない。しかし、その人がこれまで努力をしてきたことも理解しておかなければならない。
　　3. お金を使えば、ほしい物が買えるのは当たり前だと言われる。なるほど、そうかもしれない。しかし、人間にはお金では買えない物があることも忘れてはいけない。
　　4. 外国で長く生活すれば、そこの言葉や文化が身につくのは当たり前だと言われる。なるほど、そうかもしれない。しかし、努力しなければできないこともある。
　　5. ぎじゅつが開発されれば、生活がもっと良くなるのは当たり前だと言われる。なるほど、そうかもしれない。しかし、それだけで今の問題がなくなるとは言えない。

読んでみましょう

Ⅰ．1.（○）　2.（○）　3.（×）　4.（○）　5.（○）　6.（×）

Ⅱ．1. 外国で生活したことがあるせんぱいに「何か気をつけることがありますか」と意見を求めます。
　　2. 自分の見たり聞いたりしたことが、いつの間にか自分の考えになり、「あそこはこんな所だ」と思い込んでしまうからです。
　　3. 自分がこうだと思い込んでいる人や物が、何年かすると変わってしまうことを理解せず、

いつまでも間違った考えを持ち続けることです。

第9課

🔊 聞きましょうA

Ⅰ． 1．（a） 2．（c） 3．（c） 4．（c） 5．（a）

A：あ、もしもし、中村。ぼくだけど、あれ、どうなった。
B：ああ、そうそう。この間、①高校に電話して聞いてみたんだけどさあ、②個人情報だから、みんなのれんらく先は教えられないって言うんだよ。
A：ええ、何だよ、それ。ちゃんと詳しく説明したのか。
B：ああ、もちろんだよ。川口先生の60歳を記念して、③昔の仲間をできるだけ集めたいんですってね。でも、最近は簡単に外へ出さないからね、情報を。
A：わかるけど、④それとこれとは別だろう。めったにない機会なのに…。
B：確かにそうだけど、個人情報がもれて、⑤ほかで悪用されたりしたら、学校の責任問題だからね。
A：悪用するはずないじゃないか。⑥同じ高校の卒業生として気分が悪いよ。
B：卒業生といっても、学校側もわざわざそれを調べるのも大変だし、れんらく先を教えてくれっていう電話に対して⑦毎回情報を伝えるのも恐ろしい気がするなあ。
A：じゃあ、どうする。⑧まさかやめるなんて言わないよな。先生、楽しみになさってるんだよ。
B：インターネットでやり取りすれば、⑨何らかの方法でみんなに知らせることができるはずだ。ずっとれんらくを取り合っている人たちもいるはずだから。
A：あるいは、わかっている番号にかけて、⑩その人の知っているれんらく先に伝えてもらうとか。
B：そうだね。どちらにしても、⑪何かいい方法考えなきゃな。
A：でも、なんか納得できないよな。⑫情報管理が進めば進むほど安全かもしれないけど、人から人に伝えるなんて時間のかかる方法でれんらくしなきゃいけないなんて。
B：ああ、より便利な社会を作るはずの情報技術によって、生活しにくくなってるのかもしれないな。

1. ふたりは何の話をしていますか。
   a. 高校時代の先生との集まりを知らせる方法について
   b. 高校に昔の友達のれんらく先を教えてもらう方法について
   c. 個人情報を守って、悪用されないようにするための方法について
2. 高校に電話をして、何をたのみましたか。
   a. 先生のために60歳を記念してパーティーを開いてほしい
   b. 先生のパーティーについて、みんなにれんらくしてほしい
   c. 先生のパーティーによぶ人のれんらく先を教えてほしい
3. 高校はどう返事をしましたか。
   a. 個人情報だから、高校もたんじょう日がいつか知らない

b. 個人情報だから、高校ではみんなのれんらく先は調べられない
   c. 個人情報だから、高校は人に教えることはできない
4. それについて、ふたりはどう思いましたか。
   a. ふたりとも、とても納得できないとおこった
   b. ふたりとも、それは当たり前だと思った
   c. ひとりは気を悪くしているが、もうひとりは理解できると思った
5. ふたりはこれから何をしますか。
   a. インターネットや電話で、できるだけたくさんの人に伝える
   b. インターネットも電話も使えないので、パーティーをやめる
   c. インターネットでれんらく先を調べて、全員に知らせる

聞きましょうB

今の時代は、安全な生活をするために、個人の情報は自分で守らなければならないと言われますが、そればかり考えるのにも問題があるとけいさつの人が話しています。どういうことなのか聞いてみてください。

　ここまでで、だいたい私がお伝えしたかったことはお話ししました。私たちけいさつは、皆さんといっしょに、より安全で、安心して生活できる社会を作りたいと思って、毎日努力を続けています。情報の時代と言われる今、個人情報を管理して、悪用されないようにすることも、安全な社会を作るためにとても大切なことだということが、ご理解いただけたと思います。
　私は今日のように、いろいろな所で、「個人情報を大切にしてください。そうしないと、今は、いつの間にか預金を引き出され、財産をぬすまれたりする恐ろしい時代ですよ」とお話しさせていただいているのですが、そう言い続けているうちに、ときどきいやになることがあります。それはまるで「他人を信じるな」と言っているのと同じことだからです。
　本当に安全で安心な社会というのは、周りの人が信じられる社会であるはずです。それなのに、皆さんの前で「人を見たらどろぼうと思え」というような話をするのは、間違っているんじゃないかと思うことがあるのです。自分の責任で個人情報を守りながら、同時に、周りの人たちとの信頼関係を作る、難しいですが、本当はそういうことができる社会であればいいなと思います。これはけいさつの人間というより、個人として思うことですけれどね。今日のお話が皆さんの参考になれば、うれしいです。また、機会がありましたら、いつでもお話にまいります。今日はどうもありがとうございました。

1. 話している人が伝えたかったこと
   ◆ けいさつは、安全で、安心して生活できる社会を作りたいと思っている。
   ◆ 今は、個人情報を管理して、悪用されないようにすることも大切だ。
2. いやになること
   ◆ 話している人は、仕事で、「個人情報を大切にしなければ、いつの間にか、預金を引き出され、財産をぬすまれたりする」と話をしている。
   ◆ しかし、それは「他人を信じるな」と言うのと同じことだ。

3. 安全で安心な社会
   ◆ 本当に安全で安心な社会とは、周りの人が信じられる社会であるはずだ。
   ◆ 自分の責任で個人情報を守りながら、同時に、周りの人と信頼関係を作ることができる社会であればいいと思う。

練習しましょう

Ⅰ．1. ①管理　②情報　③他人　④恐ろしい　2. ⑤投資　⑥対して　⑦責任
　　3. ⑧いでんし　⑨くわしく　⑩ぎじゅつ　4. ⑪ねんれい　⑫ざいさん　⑬よきん
　　5. ⑭しゅうきょう　⑮しそう　⑯こせき　⑰さんこう　6. ⑱はか　⑲なく

Ⅱ．1. 情報が（もれない）ように　2. 預金を（引き出す）　3.（気味）が悪い話
　　4.（気）がする　5. 宿題を（わすれない）し　6. より（便利に）なれば

Ⅲ．1. 自分（の）責任（で）管理して　2. ひとりひとり（に）は、社会（に）対して
　　3. 私（に）有名な会社の部長を　4. 子供（に）たくさん習い事（を）させる
　　5. 日本語だけ（で）日本人（と）やり取りをする

Ⅳ．1. 気分を悪く（させた）　2. 管理（されて）いる　3.（知られて）しまった
　　4. 悪用（された）ら　5.（思いやれ）ば

Ⅴ．1. ところで、動物を使ったことわざはいったいどんな場面で使われるのだろうか。
　　2. ところで、せんぱいはいったいどうやって敬語を身につけたのだろうか。
　　3. ところで、外国の人はいったいどうしてそんな考えを持つようになったのだろうか。
　　4. ところで、コンビニにはいったいどのぐらい商品があるのだろうか。
　　5. ところで、昔のような食事風景はいったいどうして見られなくなってしまったのだろうか。

読んでみましょう

Ⅰ．1.（○）　2.（○）　3.（○）　4.（○）　5.（○）　6.（×）

Ⅱ．1. インターネットや携帯を使った「いじめ」が社会問題になっています。
　　2. 必要な情報を手に入れ、それを参考にものの見方を広げ、多くの人たちともやり取りができ、より広い世界で生活できる子供たちを育てるためです。
　　3. 個人の安全を守るために、他人と関係を作らず、狭い世界で、ひとりで生活をするようになるのではないか、と言っています。

第10課

聞きましょうA

Ⅰ．1.（b）　2.（c）　3.（a）　4.（c）　5.（a）

A：エレベーター、おそいね。かいだんで行こうかな。
B：だいじょうぶ。何、いらいらしてるの。①かいだんで行ったからって、今からじゃ、かえっておそくなるんじゃない。
A：そうだけど…。もう、何やってんのかな。
B：②エレベーターに言っても、どうしようもないでしょ。おそくなったのはこっちが悪いんだし。
A：③のんびりしておそくなったわけじゃないのに。あれもこれも、④やらなくちゃならないことがありすぎるの、ほんとに…。
B：だいぶお疲れね。そんなにいらいらすると、体にも良くないよ。もう少し余裕を持たなくちゃ。
A：どうしたの、ゆうこ。⑤さっきから、ずいぶん余裕があるよね。
B：そう。私はね、⑥意識して余裕を持とうと、早く起きたり、朝さんぽしたりしてるの。
A：ふうん、それで最近、残業もせずに帰ってるのね。で、それはまたどうして。何かあったの。
B：先月、⑦新しい商品が出るまで本当に忙しくてね、あるとき、⑧これじゃやってられないって思ったの。
A：私、今がそうかもしれない。⑨自分の時間なんて、唯一寝る時間だけだから。体は疲れるし、⑩気持ちにも余裕がなくなるわけだよね。しばらくゆっくりしたいなあ。
B：そうね。私も⑪先月までは海外出張が月に2, 3回あって、それが半年も続いてたから、とても大変だった。あきも気をつけて。⑫そんなに仕事ばっかりしてると、いい縁も来なくなるよ。
A：いい縁。ふうん、そういうこと。それが理由なのね。
B：さあ、どうかな。あ、来た、来た。さあ、早く、早く。

1. ひとりの女の人は、どうしていらいらしているのですか。
   a. かいだんをのぼるのがいやだから　b. 時間におくれそうだから
   c. 忙しくて寝る時間がないから
2. いらいらしている女の人に、もうひとりはどんなことを話しましたか。
   a. かいだんで行ったほうがいい　b. 残業をしないほうがいい　c. 余裕を持ったほうがいい
3. どうしてそのように考えているのですか。
   a. 先月までとても忙しかったから　b. 朝、さんぽをするのは体にいいから
   c. これからも海外出張が続くから
4. いらいらしている女の人は、その話を聞いてどう思いましたか。
   a. 残業をせずに帰るのは良くない　b. 新しい商品が出るまで努力したほうがいい
   c. 仕事に追われて余裕がないから、休みたい
5. ふたりはこれから何をしますか。
   a. エレベーターに乗る　b. 海外出張の準備をする　c. おそくまで残業をする

聞きましょうB

電車が少し遅れると「すみませんでした」とアナウンスをする日本の社会は、とてもいいと言う人と、そこまでしなくてもいいのではないかと言う人がいます。時間についてどう考え、感じるかは、文化と大きな関係があると言う人の話を聞いて、考えてみましょう。

以前、私が海外へよく出張していたときの経験をお話しします。レストランでのことですが、料理をたのんで待っていても、料理がなかなか来ません。忘れられてしまったのかなと思い、店の人に聞いてみると、「今、作っています」と気にしている様子がありません。私は次の約束があるので、少しいらいらし始めていました。しばらくすると料理がはこばれて来ました。日本なら、「長い間お待たせして、すみません」となる場面ですが、にっこりしながら、「どうぞごゆっくり」と言ってテーブルを離れるのです。

　また、こんなこともありました。仕事が終わって、ホテルへもどろうとして、電車を待って列に並んでいたときです。仕事先で教えてもらった時間を、20分すぎても、30分すぎても、電車が来ません。心配になってきたのですが、いっしょに並んで待っている人は、誰も気にしていない様子です。だいじょうぶかなと思っていると、やっと遠くのほうに電車が見えてきて、ほっとしました。

　皆さんの中にも、外国で同じようにいらいらしたり、不便な思いをされた方がたくさんいらっしゃると思います。でも、文化が違うと時間の考え方も違うものだと思うと、外国にいるときくらい、時間に追われたり、振り回されたりしないですごすのも、悪くはないなと思えてきます。料理がおそいからといっていらいらしたり、電車が来るはずの時間に来ないからといって心配してみても、時間が経つはやさが変わるわけじゃないと考えれば、余裕を持って待てるようになるのですから、人間って不思議なものですね。

1. 外国のレストランで
    - たのんだ料理がなかなか来ないことがあった。
    - 店の人は気にしている様子がない。
    - 料理を持ってきたとき、「長い間お待たせして、すみません」とは言わず、「どうぞごゆっくり」と言った。
2. ホテルへもどるとき
    - 20分すぎても、30分すぎても、電車が来なかった。
    - 話している人は心配になったが、いっしょに並んで待っている人は誰も気にしていない様子だった。
3. 時間について
    - 文化が違うと時間の考え方も違うものだから、外国にいるときくらい、時間に追われたり、振り回されたりしないですごすのも悪くはない。
    - いらいらしたり、心配したりしても、時間が経つはやさが変わるわけじゃないと考えれば、余裕が持てるようになるのは不思議だ。

練習しましょう

Ⅰ. 1. ①調子　②原因不明　2. ③不思議　④ご主人　⑤亡くなった
　3. ⑥慣れ　⑦忘れて　4. ⑧追われて　⑨経て　⑩定年
　5. ⑪おこって　⑫うで　⑬こし　⑭はずれる
　6. ⑮ふりまわされ　⑯えん　⑰ゆいいつ　⑱いしき
　7. ⑲しゅっちょう　⑳したく　㉑よゆう　㉒かたりかける

Ⅱ．1．口数が（少ない）　2．腰を（上げた）　3．（時間）が経つ
　　4．（耳）に残って　5．すっかり（大きく／大人に）なった　6．（悪く）なって

Ⅲ．1．けいさつ（に）追われた　ナイフ（を）振り回し始めた
　　2．準備（に）取りかかった　3．学生たち（に）語りかけた
　　4．タクシー（に）乗れば　時間（に）間に合う　5．人（を）父はきらっていた

Ⅳ．1．何も（話そう）とはしなかった　2．意見に（振り回される）こと
　　3．（亡くなる）なんて　4．よほうが（外れて）　5．歌を（聞く）たびに

Ⅴ．1．最近、子供が家の中で英語を使うようになって、おどろいた。
　　　⇒おどろいたことに、最近、子供が家の中で英語を使うようになった。
　　2．いつの間にか日本語で書かれた本が読めるようになっていて、うれしかった。
　　　⇒うれしいことに、いつの間にか日本語で書かれた本が読めるようになっていた。
　　3．私のクレジットカードが外国で使われていたことに、おどろいた。
　　　⇒おどろいたことに、私のクレジットカードが外国で使われていた。
　　4．会社からは飛行機事故の原因について説明がなかったことに、あきれた。
　　　⇒あきれたことに、会社からは飛行機事故の原因について説明がなかった。
　　5．仲間たちが定年になった私のためにパーティーを開いてくれて、うれしかった。
　　　⇒うれしいことに、仲間たちが定年になった私のためにパーティーを開いてくれた。

読んでみましょう

Ⅰ．1．（○）　2．（○）　3．（○）　4．（×）　5．（○）　6．（×）

Ⅱ．1．時間を管理する方法を知ることが大切だと言っています。
　　2．すっかり意識が変わり、気持ちに余裕が生まれたと言っています。
　　3．時間を気にせず、したいことをしたいときにするのが自由だと思っていました。

第11課

聞きましょうA

Ⅰ．1．(a)　2．(b)　3．(b)　4．(b)　5．(a)

A：中村さん、まだ仕事。どうかした。
B：まあね。①また若い子に泣かれちゃって…。
A：へえ、②何か厳しいこと言ったんでしょ。
B：そんなに③厳しくは言ってないはずなんだけど…。④大切な仕事先にれんらくを忘れてたり、メールが間違ってたりで、仕事先の信頼を失いそうで…。
A：あんまりいやなこと言うと、きらわれるよ。⑤部下はほめて育てろって言うじゃない。

B：ほめるときはもちろんほめますよ。でも、⑥言いたくなくても言わざるを得ないときだってあるんだから。早く一人前になってほしいと思って、⑦こっちは真剣に仕事を教えてるつもりなんだけどなあ。
A：そうね。⑧今の若い人は気楽で無責任。でも、⑨私たちが会社に入ったころにも、厳しいせんぱいがいたよね、ほら。
B：石川さんのこと。なつかしい。私もよくしかられたなあ。
A：そうそう。⑩私だってよく泣きそうになったものよ。
B：石川さんから言われたことは、今でもよくおぼえてる。「つくえの上のかたづけさえできない者に、仕事なんてできない」ってね。
A：今思うと、あのころのせんぱいって、⑪ほめるにしても、しかるにしても、ちゃんと私たちのことを見ててくれてるって感じがして、信頼できたよね。
B：うん、上に立つ者はそうでなくてはね。⑫私も、もうちょっとよく考えた上で話さなくちゃね。部下を思いやって。
A：ま、問題があるのはむこうなんだから、中村さんが悪いわけじゃないと思うけど…。

1. ふたりの女の人はどんな人ですか。
    a. 同じ会社で長く働いてきた人　b. 会社に入ったばかりの人
    c. 上司に厳しく言われて困っている人
2. ふたりは何の話をしていますか。
    a. 上司とどのように話したらいいかということ
    b. 部下とどのように話したらいいかということ
    c. 仕事先の相手とどのように話したらいいかということ
3. 女の人の部下はどうして泣いたのですか。
    a. おそくまで仕事をさせられたから　b. 上司に厳しく言われたから
    c. 仕事先にしかられたから
4. 昔、この会社にどんな人がいましたか。
    a. 上司にしかられて泣いてしまった部下　b. 厳しいが、部下から信頼される上司
    c. つくえの上をかたづけず、仕事もしない部下
5. 昔のことを話しながら、ひとりの女の人はどう考えましたか。
    a. 部下を思いやって、話し方に気をつけよう
    b. 部下を思いやって、しかるのをやめよう　c. 部下を思いやって、どんなときもほめよう

🔊 聞きましょうB

　上下関係を大切にする「タテ社会」はもう古い考え方で、今は自由で平等な社会だとよく言われます。社会の問題について研究している先生が、少し違う見方で「タテ社会」について話しています。聞いて、一緒に考えてみましょう。

　日本は、長い間、上下関係を大切にする「タテ社会」だと言われてきました。「タテ社会」と聞くと、厳しく自由のない、人が平等に扱われない社会だと思う人も多いでしょう。しかし、「タテ社会」が長く続いたのは、今の社会より「タテ社会」のほうが気楽だったからだという見方も

あります。今日はそのことを少し考えてみたいと思います。

「タテ社会」が気楽だったと言いましたが、そこでは上に立つ人が明確に役割と責任を持っていました。上に立つ人とのつながりを大切にしていれば、まだ何もわからない、何もできないからと、下の者は守られ、育てられ、仕事や、時にはふさわしい結婚相手までお世話してもらえるからです。自分で考えたり決めたりすれば、「若いくせに」と反発を買うこともあるので、頭を下げて、「よろしくおねがいします」と言っておけば、あまり困らずにやっていくことができました。そういう意味で気楽だったのです。

自由で平等な今の社会では、何でも自分で考え、自分が決めたことに責任を持たなければなりません。周りの人たちに、どうしてそう決めたのか、自分の意見をはっきり伝えることができなければ、信頼できる個人として扱ってもらえません。「タテ社会」に慣れた者にとっては、少しつらいことかもしれませんね。

私は、「タテ社会」のほうがいいと言っているわけではありません。自由で平等であるためには、ひとりひとりが努力して自分をみがき、責任のある個人になる必要があります。そして、ひとりひとりが他人の自由を大切にし、お互いが信頼される存在になれば、本当に自由で平等な社会ができるということを、皆さんに知ってほしいと思ったのです。

1. 「タテ社会」について
   - 「タテ社会」というのは、上下関係を大切にする社会だ。
   - 多くの人は、厳しくて自由のない、人が平等に扱われない社会だと思っている。
   - しかし、「タテ社会」のほうが気楽だったので、長く続いたという見方もある。
2. 「タテ社会」での生活
   - 上の人とのつながりを大切にしていれば、下の者は守られ、育てられ、仕事や結婚相手までお世話してもらえた。
   - 自分で考えたり決めたりすれば、「若いくせに」と反発を買うこともあった。
3. 今の社会について
   - 今は自由で平等な社会だ。
   - 自分で考え、自分が決めたことに責任を持たなければならない。
   - 自分の意見をはっきり伝えることができなければ、信頼できる個人として扱ってもらえない。
4. 話している人の意見
   - 自由で平等であるためには、ひとりひとりが努力して自分をみがき、責任のある個人になる必要がある。
   - ひとりひとりが他人の自由を大切にし、お互いが信頼される存在になれば、本当に自由で平等な社会が作れるのではないかと思う。

練習しましょう

Ⅰ. 1. ①役割 ②存在 2. ③平等 ④映画 3. ⑤確認 ⑥結果 ⑦反対
   4. ⑧息 ⑨得ない 5. ⑩じょうげ ⑪きびしい ⑫かわす ⑬きずかれて
   6. ⑭あつかう ⑮しぜん ⑯しんけん ⑰うしなう
   7. ⑱じょうし ⑲はいし ⑳かんげい 8. ㉑おたがい ㉒きこう ㉓かげ

Ⅱ．1. 反発を（買って／買い） 2. 息が（つまり）そうだ 3.（口）を利いて
　　4.（影）をひそめていた 5.（上）に立つ 6. 信頼し（合える）

Ⅲ．1. 結婚式（に）はふさわしくない 2. ちょっとしたこと（が）交通事故（に）つながる
　　3. 意見（を）反映させる　技術（が）生み出される 4. 意見（を）受け入れる
　　5. 兄弟（を）一人前に育ててくれた

Ⅳ．1.（失われ）つつある 2. 社会だと（言われて）きた
　　3. あいさつを（交わす） 4. 廃止（された） 5. 歓迎（され）ない

Ⅴ．1. 情報技術の開発が進むにつれ、個人の生活も変化しつつあります。
　　2. 仕事を持つ母親が増えるにつれ、食事の風景も変わりつつあります。
　　3. インターネットを利用する人が増えるにつれ、本を買って読む人が少なくなりつつあります。
　　4. 時代が変わるにつれ、仕事や結婚に対する考え方が変わりつつあります。
　　5. 子供の数が少なくなるにつれ、小学校も少なくなりつつあります。

読んでみましょう

Ⅰ．1.（○） 2.（○） 3.（×） 4.（○） 5.（○） 6.（×） 7.（×） 8.（×）

Ⅱ．1. 礼儀正しい人間に育ってほしいと思ったからです。
　　2. 自分で何とかすればいいと思って、様子を見ることにしました。
　　3. 気安く口も利けず、自分の意見さえ聞いてくれないような人間関係です。
　　4. これから先、社会に出て生活するのに役に立つ経験だったと思っています。

第12課

聞きましょうA

Ⅰ．1.（a） 2.（a） 3.（c） 4.（c） 5.（c）

A：まさこ、おはよう。何してるの。きのうの宿題。
B：違う、違う。これ、見て。
A：何、何。「あなたの性格がこれでわかります」だって。
B：そう。これ、今①女の子の間で人気があるの。この質問に答えると、自分の性格がわかるんだって。
A：面白そうだね。で、どんな性格だって。
B：その結果を今から見るの。ちょっと読んでみるね。「②あなたは何事にも慎重に行動する人です。③どんなときにも冷静で、周りの人から信頼されています」だって。
A：意外だなあ。まさこ、そういうタイプだった。④ぼくの印象と違うけど。⑤それとは対照的

— 31 —

なような気もするけどなあ。
B：何言ってんの。⑥こう見えても、私は本当は慎重なの。
A：へえ。⑦こういう性格判断テストって、今、人気があるよね。どうして⑧みんな自分の性格を知りたいのかな。自分の性格なんだから、自分が一番よく知ってるんじゃない。
B：そうかもしれないけど。⑨みんな、自分が周りからどう思われてるか知りたいからじゃないかな。自分では、⑩自分のことを楽天的だとか、気まぐれだとか、のんきだとか思ってるけど、周りの人たちはどう思ってるか、わからないじゃない。自分から⑪「私ってどんな性格」なんて、聞くこともできないし。
A：なるほど。だから性格判断テストをして、自分を知ろうとしてるのか。
B：田中君もやってみて。どんな性格か見てあげる。
A：またの機会にしとくよ。⑫なんか、自分の気持ちがのぞかれてるようで…。

1. ふたりはどんな関係ですか。
　　a. 同じ学校の友達　b. 同じ会社の上司と部下　c. 性格判断テストが好きな仲間
2. ふたりは、女の人がどんな性格だと思っていますか。
　　a. 女の人は自分を慎重な性格だと思っているが、男の人はそう思っていない
　　b. 女の人は自分を慎重な性格だと思っていないが、男の人はそう思っている
　　c. ふたりとも、女の人が慎重な性格だと思っていない
3. 男の人は、どうすれば自分の性格がわかると言っていますか。
　　a. 友達に聞く　b. テストをする　c. 誰かに聞かなくてもわかる
4. 女の人は、性格判断テストに人気があるのはどうしてだと言っていますか。
　　a. 自分の性格を知りたいから　b. 周りの友達に自分の性格を聞きたいから
　　c. 周りの人が自分をどう思っているか知りたいから
5. 男の人は、性格判断テストをどう思っていますか。
　　a. 今すぐやってみたい　b. 時間があるときにぜひやってみたい　c. あまりやりたくない

聞きましょうB

　長い間、先生をしている人が、これから先生になろうとする人たちの前で、気をつけなければならないことを話しています。先生になる人たちだけではなく、人を相手にする仕事をするのには大変参考になる話だと思います。聞いてみましょう。

　これから先生になろうという皆さんにお話ししたいことはたくさんあるのですが、今日は、先生という仕事で一番してはいけないと、私が考えていることをお話しします。私たちは、人や物を見たとき、何らかの印象を受けます。その印象が、先生という仕事に大きな影響を与え、時には、自分が相手にする子供を客観的に見られなくする恐ろしいものだということを、いっしょに考えてみてください。

　皆さん、さっき私がこの部屋に入ってきたとき、私を見て何か思いませんでしたか。「何となく感じ悪いな」と思ったり、あまりいないとは思いますが、「感じのいい人だな」とか思ってくれた人もいますか。中には、自分が知っている誰かと同じような感じの人だなと、そう思った人もいると思います。その「感じ」が、ここで話している印象のことですが、何を根拠にそんな印

象を持ったと思いますか。

　印象とは、自分の中にある何かの基準によって、人や物をタイプに分けて見ることだとは思いませんか。誰もが自然にしていることですが、先生の仕事で一番してはいけないことだと私は思っています。というのも、「この子は、前に教えた誰かと同じタイプだな」と思っていても、ほかの先生とその子のことを話してみたら、自分とは対照的な意見が出たり、様々な見方があって意外に思ったりした経験を、私は何度もしてきたからです。

　人や物を一見して受ける印象なんて、実はいいかげんなものなのです。誰かと同じタイプだと思うと、つい性格までそうだと思ってしまうことがあり、その子がちゃんと見えなくなってしまいます。毎日の生活の中で、自分もほかの人からそうしてタイプに分けて判断されているんだと思うと、恐ろしいことだと思いませんか。先生という仕事をする人は、子供たちを相手にして、簡単に誰かと同じようなタイプだなどと思い込まないように注意しなければいけないと思います。

1. 先生が考える印象
   ◆ 印象は、先生という仕事に大きな影響を与えるものだ。
   ◆ 印象は時に、自分が相手にする子供を客観的に見られなくする恐ろしいものだ。
2. 印象の根拠
   ◆ 話している人が部屋に入ってくるのを見て、「何となく感じ悪いな」とか「感じのいい人だな」とか思ったに違いない。
   ◆ しかし、何を根拠にそんな印象を持ったのだろうか。
3. 先生の経験
   ◆ 印象とは、自分の基準によって、人や物をタイプに分けて見ることだ。
   ◆ しかし、生徒の印象についてほかの先生と話すと、自分とは対照的な意見が出たり、意外に思ったりした経験を何度もしてきた。
4. 注意しなければならないこと
   ◆ 印象は、実はいいかげんなものである。
   ◆ 先生は、子供たちを相手にするとき、簡単に誰かと同じようなタイプだなどと思い込まないように注意しなければならない。

練習しましょう

Ⅰ．1. ①和らげる　②与える　2. ③型　④性格　⑤傾向　⑥科学
　　3. ⑦印象　⑧反論　⑨付き合い
　　4. ⑩てんけい　⑪しんちょう　⑫れいせい　⑬たいしょうてき
　　5. ⑭きゃっかんてき　⑮わけて　⑯たいさく
　　6. ⑰けつえきがわり　⑱じつは　⑲こんきょ

Ⅱ．1. リーダーシップが（ある）　2. 良い印象を（与えない）　3. すぐ（口）にして
　　4.（気）が強い　5. 意外に（安い）です　6. 一見（違う／別の）人のよう

Ⅲ．1. ことわざ（に）こっていて　2. 5回（に）分けて
　　3. 何事（に）も厳しい兄（と）は対照的に　4. 悪い仲間（と）付き合って

5. 上下関係（を）重んじる

Ⅳ. 1. 父に（言わせる）と　2. 人を判断（しよう）とする　3. 初めて（会った）人
　　4. なかなか（受け入れられない）　5.（付き合って）みると

Ⅴ. 1. Bさんは、親が注意しないのは、自分には関係のないことだと思っているからだと言った。
　　2. Bさんは、動物のことわざをよく使うのは、面白く簡単に意味を伝えることができて便利だからだと思っている。
　　3. Bさんは、私たちが外見を気にするのは、外見で人を判断することが少なくないからだと教えてくれた。
　　4. Bさんは、学生が先生にまるで仲間のような口を利くのは、上下関係なんて必要ないと思っているからだと話してくれた。
　　5. Bさんは、管理されているはずの個人情報が他人に知られてしまうのは、私たちの知らないところで、個人情報が売られているからだと言った。

読んでみましょう

Ⅰ. 1.（×）　2.（×）　3.（○）　4.（○）　5.（○）　6.（×）　7.（○）　8.（○）

Ⅱ. 1. 宗教などを信じて生活していることもあります。
　　2. 助けがなければ、自分たちだけでは生活できないからです。
　　3. 何かに助けを借りて、いっしょうけんめい生活を続ける姿のことです。
　　4. 何らかの方法を使って周りの人のことを知ろうとしたり、宗教を信じて生活したりする人が少なくないからです。

第13課

聞きましょうA

Ⅰ. 1.（a）　2.（b）　3.（b）　4.（a）　5.（b）

A：たけし、前に帰ってから何年になる。
B：7年かな。①仕事先が国内ならもう少し帰れるけどな。兄さんは毎年。
A：長男だからな。1年に1度くらいは帰らないとと思って、子供の夏休みには短くても帰るようにしてる。
B：そうか。しばらく来ない間に、駅の前からここまで、すっかり変わったな。
A：変わっただろう。②夏に川のむこうから打ち上げる花火大会のこと、覚えてるか。
B：ああ。③2階へ上がって、部屋の電気消して見てたな。途中からは花火忘れて、④暗やみの中で汗まみれになって遊んだ。毎年楽しみだったな。
A：大人は大人で、「お父さん、はい、ビール」「お、お母さんもどうだ」なんて、機嫌よくやってたな。その花火を、⑤子供にも見せてやりたくて、それで、夏に帰ることにしたんだけど、

今は音が聞こえるだけ。
B：これだけ高い建物に囲まれたら、そうだろうな。⑥当時は2階から川まで見えたものな。
A：今でも花火の音を聞くと、ゆかた姿のふたりが⑦ビールをごくごくって飲んで、「ああ、おいしい。⑧のどが乾いてたから、生き返るようだわ」なんて、⑨楽しそうにグラスをやり取りしてるのを、不思議と思い出すんだ。
B：いつもはよくけんかするくせに、どうなってるんだって意外に思ったよな。
A：いつもは⑩見せない姿だったからな。
B：人間って、⑪ちょっとしたことを覚えてるもんだな。うちの子たちも外国でいろんな経験して、⑫たくさん思い出作るんだろうな。
A：子供たちが大きくなって、お互いに思い出を話しているの、聞いてみたいな。

1. 弟が7年間、この家へ帰って来なかったのはどうしてですか。
   a. 外国で仕事をしているから　b. 毎日忙しくて、時間がないから
   c. あまり帰りたいと思わないから
2. 兄が毎年帰るのはどうしてですか。
   a. 子供に花火を見せたいから　b. 自分が長男だから　c. 思い出を忘れたくないから
3. 子供のころに楽しみにしていた花火大会は、どうなりましたか。
   a. 今は家の周りが変わってしまって、花火大会もなくなった
   b. 家の周りに高い建物がたくさんできて、見えなくなった
   c. 今でも、夏には2階から花火を見ている
4. 花火大会のときの両親はどんな様子でしたか。
   a. いつもと違って楽しそうにしていた
   b. 母親は飲めないビールを飲まされていた　c. よくけんかをしていた
5. ふたりは思い出について、どんなことを言っていますか。
   a. 子供のころの思い出はあまりない　b. ちょっとしたことが思い出になっている
   c. いつも見ていたことが思い出になる

聞きましょうB

「家庭料理」には、特別な思いを持つ人がおおぜいいます。そして、「家庭料理」と同じような言い方が、日本語だけではなく、いろいろな言葉にあるそうです。家を離れて生活をしていると、ときどき、家の料理をとても懐かしく思い出すのはどうしてでしょう。料理を教えている人の話を聞いてみましょう。

これまでのお話とは少し離れますが、みなさんは町を歩いていて、「家庭料理」とか「母の味」とか書いたかんばんを目にされたことはありませんか。私は、いなかから出てきてひとりで生活をしていた時代がありました。なかなか自分で作る時間がなかったので、よく外で食事をしました。毎日同じような物ばかり食べていたので、ときどき、家で食べていたような母の料理が食べたいなと、家庭の味を思い出すことがありました。
そんなある日、帰宅途中に通りかかった店が、「家庭料理」というかんばんを出していたので、「これは」と思って入ってみました。好きな物が選べる店で、テーブルに母の作るような懐かし

い料理が並んでいるのを目にした瞬間、うれしくなって声を出しそうになってしまいました。ところが、食べ切れないほど選んで、口にしてみると、思っていたような味はしないし、おいしくもありません。味は良くないけれども、「家庭料理」というかんばんを出すなんて、うまい宣伝だなと思いながら店を出たことを覚えています。

　後になってそう思ったんですが、「家庭料理」という言葉を目にして連想したのは、味はもちろんですが、きっと、それと一緒に、いっしょうけんめい料理を作る母の姿や、家族みんなで楽しく食べたときのことだったのだと思います。料理の味は、思い出の味なのだと、そのとき思ったんですが、それが今の仕事をしようと思うようになったきっかけだったかもしれません。

　少し長くなりましたが、今日、みなさんにご紹介し、一緒に作ってみたいと思っているのは、思い出の味がする料理です。食べてくれる人が、おいしい物を食べさせてやろうとする母の姿や、懐かしい家族との食事風景をふと思い出す、そんな「家庭料理」です。今日は思い出の味作りだとわかっていただけたと思いますので、それでは、始めましょうか。皆さん、準備はよろしいでしょうか。

1.　ひとりで生活をしていた時代
　◆　なかなか自分で作る時間がなかったので、よく外で食事をした。
　◆　毎日同じような物ばかり食べていたので、家庭の味を思い出すことがあった。
2.　「家庭料理」の店
　◆　店に入ってみたら、母の作るような懐かしい料理が並んでいた。
　◆　うれしくなって、声を出しそうになった。
　◆　食べてみると、思っていたような味はしないし、おいしくもなかった。
3.　「家庭料理」について
　◆　いっしょうけんめい料理を作る母の姿や、家族みんなで楽しく食べたときのことを連想した。
　◆　料理の味は思い出の味だと思った。
　◆　そのときの経験が今の仕事をしようと思ったきっかけになった。
4.　これから作る料理
　◆　一緒に作りたいのは、思い出の味がする料理だ。
　◆　食べてくれる人が、おいしい物を食べさせてやろうとする母の姿や、懐かしい家族との食事風景を思い出す、そんな「家庭料理」をこれから作る。

練習しましょう

Ⅰ．1. ①呼び出され　②指示　③余り　2. ④夕涼み　⑤お宅　⑥焼く
　　3. ⑦庭　⑧抜いて　⑨汗　4. ⑩打ち上げ　⑪連想
　　5. ⑫きげん　⑬ひ　⑭ながめよう　⑮つれだした
　　6. ⑯かいほう　⑰おぼえて　⑱いっしょ　⑲なつかしい
　　7. ⑳きこく　㉑しゅんかん　㉒あたり　㉓おどろいた
　　8. ㉔かわいた　㉕つち　㉖せいかく　㉗はこぶ

Ⅱ．1. 呼ぶ声が（した）　2.（のど）を鳴らして　3.（腰）を下ろして
　　4. 水を（やる）　5. 火を（つけ／つけて）　6. レポートを（書き／終わらせ）

Ⅲ．1. 明るさ（を）残す空（に）　2. 父の言葉（が）意外だった　姉（と）顔を見合わせた
　　3. これ（を）終わらせれば　仕事（から）解放される
　　4. 私（を）外（に／へ）連れ出した　5. 母（に）おかし（を）ねだる

Ⅳ．1. 人を（驚かせた）　2. 手伝いを（させられた）　3.（疲れ）切った顔
　　4. じっと（見つめられる）と　5. 公園に（呼び出された）

Ⅴ．1. いつも晩ご飯を自分で作っているわけではないが、時間があるときは、できるだけ<u>家で作って、食べることにしている</u>。
　　2. 全員英語ができるわけではないが、<u>この会社で働く人の多くは、英語で簡単な会話ができるのではないかと思う</u>。
　　3. 日本人がみんなお正月に着物を着るわけではないが、私の周りでは、<u>着物を着る人も多い</u>。
　　4. すべて<u>間違っていると思っているわけではないが</u>、このままではうまくいかないのは間違いない。
　　5. インターネットで何でも<u>わかるわけではないが</u>、<u>ちょっとしたことを調べるのにはとても便利だ</u>。

読んでみましょう

Ⅰ．1.（○）　2.（×）　3.（×）　4.（○）　5.（×）　6.（×）　7.（○）　8.（○）

Ⅱ．1. 亡くなった父のことを思い出したからです。
　　2. プレゼントをもらったのに、あまり喜ばなかったからです。
　　3. 大学へは行かず、働き始め、父親に楽をさせたいという気持ちでそう言いました。
　　4. 「ありがとう」という気持ちで書きました。

第14課

聞きましょうA

Ⅰ．1.（c）　2.（a）　3.（b）　4.（c）　5.（a）

A：お疲れ様。今帰りなの。おそいのね。
B：ああ、お疲れ様です。ちょっと出張の準備してたので。
A：忙しそうね。あれ、寒い。なんか急に寒くなったんじゃない。
B：①<u>今夜から気温が下がるって言ってましたよ</u>。雨もふるって。山口さん、かさ、持ってます。
A：ううん、持ってない。野村さん、②<u>天気予報ちゃんと見てるのね</u>。
B：ええ、③<u>天気予報見てない人、めずらしいですよ</u>。最近の④<u>天気予報は進歩してますからね</u>、見たほうがいいですよ。⑤<u>仕事をする上でも欠かせませんし</u>。
A：まあ、そうなんだけど、一日中建物の中で仕事してるから…。
B：ぼくはひとりですから、せんたくするのも買い物するのも、1週間の天気予報を見て決める

んです。
A：せんたくはわかるけど、買い物も。
B：ええ、⑥普通は雨の日には買い物をしないものでしょ。だから⑦客を集めるために、雨の日は安い物が多いんです。それで、ぼくはわざわざ雨の日に買い物することにしてるんです。
A：なるほど、生活の知恵ね。ところで、出張はいつから。
B：1週間後です。ああ、⑧今度のインドネシア出張もお天気次第なんだけどなあ。
A：何、⑨出張の日取りも天気予報を見て決めたの。
B：もちろんそうですよ。⑩雨の時期が終わってからと思って、2か月待ったにもかかわらず、今週、異常なほど雨がふって、町は洪水のようになっているらしいんです。
A：へえ、それは大変ね。新しい商品を宣伝するために、パーティーをするんでしょ。
B：ええ。でも雨の影響で、⑪当てにしていたほど客が来るかどうか、予測が難しくて…。
A：最後はあれよ、てるてるぼうず。⑫神にいのるしかないわね。

1. ふたりはどこで話していますか。
   a. 仕事中のじむしょ　b. 休み時間の食堂　c. 帰宅途中の道
2. ふたりは何の話をしていますか。
   a. 天気予報はいろいろなことに役に立つという話
   b. 出張の時期をいつにしたらいいかという話
   c. 新しい商品のためのパーティーをするかどうかという話
3. 女の人がかさを持っていないのはどうしてですか。
   a. 一日中建物の中で仕事をしているので、必要ないから
   b. 天気予報を見なかったので、雨がふるのを知らなかったから
   c. 仕事が忙しかったので、持ってくるのを忘れたから
4. 男の人が雨の日に買い物に行くのはどうしてですか。
   a. 天気が雨かどうか気にしていないから　b. 人が少なくて、ゆっくり買い物ができるから
   c. 客を集めるために、安い物がいろいろあるから
5. 男の人が困っているのはどんなことですか。
   a. 出張先の客の予測ができないこと　b. かさを持ってこなかったこと
   c. 天気予報がよく外れること

聞きましょうB

　コンピュータ技術が進歩して、天気予報が大変正確になったことは、私たちもよく知っていて、毎日の生活でずいぶんお世話になっています。その天気予報を出す仕事をしている人が、予報の出し方も、それを利用する私たちも変わってきているという話をしています。聞いてみましょう。

　最近、私たちの仕事のやり方が変わってきています。観測のやり方ではなく、予報の出し方が変わってきました。最近は、異常な雨や台風であぶないと予測できるときは、できるだけ早くから予報を出すようにしています。あわてず、余裕を持って安全対策をしてもらうためです。何よりもかけがえのない命を守ることをまず考えるからです。それは気象観測の第一の役割でもありますしね。「何よりも命」です。

これまでもそう考えてはいましたが、予報技術の問題で今のようにはできなかったし、外れると皆さんの生活に大きな影響があると、慎重になりすぎてもいました。じっさいに、予報が外れたときは「ちゃんと仕事しろ」とか「仕事のおくれ、どうしてくれるんだ」なんて電話や投書が来ることも多かったのです。もっとも、最近は、そんな電話や投書はあまり来なくなりました。
　私たちが予報を出せば、多くの人が家を離れ、安全な場所でじっと様子を見ることになるし、その間、市や町、村では、休みの日でも、安全対策に追われる人たちがいます。予報が外れると、そうした安全対策が全部役に立たなくなることもありますが、それでも、皆さんから「こんなことにならないように注意しろ」という声は聞こえてきません。「何よりも命」という考え方が理解されているからだと思います。
　人間は自然を観察し、自然にしたがい生活してきました。一瞬にして命をうばう自然の恐ろしさをよく知っていた昔の人は、大雨や台風になりそうなときは、安全な所へ行って、じっとしていました。自然は人間の手におえないものだということを知っていた昔の人たちの安全対策、命を守るための知恵です。今も同じように、予報が出ると、近くの安全な場所に集まって、命を守るためにじっと待つ。私たちの予報も、皆さんの行動も、昔の人の知恵にもう一度学び、「何よりも命」の考え方にもどろうとしているのだと思います。

1. 最近の天気予報
    - 異常な雨や台風のとき、できるだけ早くから予報を出すようにしている。
    - それは、余裕を持って安全対策をしてもらうためだ。
    - 何よりもかけがえのない命を守ることをまず考えるからだ。
2. 以前の予報
    - 予報技術の問題で今のようにはできなかったし、外れると生活に大きな影響があるので、慎重だった。
    - じっさいに、予報が外れたときは、電話や投書でしかられることも多かった。
3. 最近の様子
    - 予報が外れて、安全対策が全部役に立たなくなることもある。
    - それでも、「注意しろ」というような声は聞こえてこない。
    - それは「何よりも命」という考え方が理解されているからだろう。
4. 話している人の考え
    - 昔の人は台風や大雨のとき、安全な所へ行って、じっとしていた。
    - それは昔の人の安全対策、命を守るための知恵だ。
    - 今の予報もそれに学び、「何よりも命」の考え方にもどろうとしているのだと思う。

練習しましょう

Ⅰ. 1. ①命 ②落とす ③第一 ④欠かせない　2. ⑤予測 ⑥法則 ⑦雲 ⑧流れ
　　3. ⑨季節 ⑩時期 ⑪各地　4. ⑫いじょう ⑬はれた ⑭のうさぎょう ⑮しゅうかく
　　5. ⑯かみ ⑰かんさつ ⑱みなおして ⑲こうずい
　　6. ⑳ちえ ㉑しだい ㉒いっぽ ㉓むいて

Ⅱ. 1. 当てに（なら）ない　2. 命を（落とした）兄　3. （手）におえない

    4. 山の雪も（とけ／とけて）　5.（技術）が進歩した

Ⅲ．1. 指示（に）したがって　2. 作るの（に）　3. 服（を）よごして　子供（に）
    4. 病気（が）早く良くなる　神（に）いのり続けた
    5. 異常気象（が）続いて　自然（と）の調和

Ⅳ．1. 雨を（ふらせ／ふらせて）　2. 命が（失われた）が
    3. よく（考えて）みなさい　4. 利用（すれ）ば　5. 命を（うばわれた）親

Ⅴ．1. 毎日の練習はもちろん続けるべきだが、時には体を休めることも大切だ。
    2. ひとりで旅行をしたいという気持ちはもちろん理解できるが、時にはみんなと旅行するのも悪くない。
    3. 車で通うのはもちろん便利だが、時には歩いて行くのも運動になっていい。
    4. おそくまで勉強するのはもちろん大変だが、時には寝ないで勉強せざるを得ないこともある。
    5. 外見はもちろん気にしなければいけないことだが、時には外見だけでなく、中身も気にしたほうがいい。

読んでみましょう

Ⅰ．1.（○）　2.（×）　3.（×）　4.（×）　5.（×）　6.（○）　7.（×）　8.（○）

Ⅱ．1. 天気次第で人間の行動が変わるからです。
    2. 気象情報を扱う会社が作られ始め、利用する側が必要とする情報を伝えるようになりました。
    3. マラソンをする人のための「マラソン予報」や「交通事故予報」などです。
    4. 国からの気象データを使って、必要とする人たちのために、より利用しやすくした情報を売っています。

第15課

聞きましょうA

Ⅰ．1.（b）　2.（b）　3.（c）　4.（c）　5.（b）

A：先生、お話ありがとうございました。①大変面白く聞かせていただきました。
B：そうですか。それは良かったです。
A：先生にひとつだけおたずねしたいことがあるのです。先生はアジアをはじめ、②いろいろな国を旅されたことがあるというお話でしたが、旅をすることには③どのような意味があるとお考えでしょうか。
B：旅をする意味ですか。そうですね。④なかなか一言で説明するのは難しいですね。これは私

— 40 —

の意見ですが、旅をすることは、⑤新しい経験を手に入れることではないでしょうか。旅をすれば、⑥人と出会ったり、知らない文化にふれたりすることができますね。それが自分の新しい経験となります。

A：「新しい経験」ですか。
B：そうです。⑦そのような経験を重ねることで、自分が今まで持っていなかったものの見方や考え方を身につけることができるようになるのではないかと思います。
A：ああ、先生が講演の中でおっしゃっていた「自分のにおいに気がつく」というのも、⑧新しいものの見方を身につけることになるのですね。
B：ええ、そうです。こうして言葉にすると簡単そうに聞こえるのですが、⑨何かに気がつくというのは、なかなか難しいことです。
A：私は先生のように⑩世界中をひとりで旅することはできるわけがないと思っていたのですが、今日のお話をうかがって、⑪自分も一度やってみようかなと思いました。
B：そうですか。⑫安全を第一に考えて、よく準備をしてから出かけてくださいね。
A：はい、ありがとうございます。

1. 女の人は、講演をした人にどんな質問をしましたか。
   a. 今までにしてきた経験　b. 旅をすることの意味　c. いい旅をするための方法
2. 旅をすると、何が得られるという答えでしたか。
   a. 講演をするための面白い話　b. 知らない人や文化にふれる新しい経験
   c. ほかの人とは違う自分の意見
3. 経験を重ねると、どうなると言っていますか。
   a. これまで持っていた見方や考え方がすっかり変わる
   b. 文化の違いを理解し、相手に合わせられる
   c. それまでとは違った新しい見方や考え方ができる
4. 話に出てきた「自分のにおいに気がつく」とは何のことですか。
   a. 経験を重ねること　b. 知らない人や文化と出会うこと
   c. 今まで持っていなかった新しい見方を身につけること
5. 話を聞いて、女の人の気持ちはどのように変わりましたか。
   a. アジアの若者と友達になりたいと思うようになった
   b. 旅に出てみたいと思うようになった　c. 講演をしてみたいと思うようになった

聞きましょうB

　海外旅行をしたり、外国で生活をしたりすると、それまで会ったことのないような人たちと出会ったり、それまでには経験のないようなふれ合いがあったりします。学生たちにも若いときにぜひそんな経験をしてほしいと思っている大学の先生が、自分の経験を話しています。聞いてみましょう。

　「日本を知るためには、海外へ行きなさい」と一言、私が大学生のときに先生から言われました。この言葉を聞いたときは、どうして外国へ行くと日本を知ることができるのか、よくわかりませんでした。しかし、自分が大学で教えるようになって、今、私も自分の先生と同じことを学生に

伝えています。今日は、その話からじゅぎょうに入ろうと思います。

私は若いときに留学した体験があります。留学先は、はっきりした季節がなく、1年中Tシャツ1まいで生活できるような所でした。寒いのがきらいな私には、とてもうれしいことでした。しかし、3年目になったころだったと思いますが、何か足りないなと思い始めました。後になって、季節がはっきりしないということは、生活に変化がないことにつながり、そのことが何となく何かが足りないなと思わせる理由だったのだと知りました。

日本に帰った年の秋、公園にある木の葉が色を変えていくのを見て、私は「季節があるっていいな」と思わず口にしました。日本にいるときには、考えてもみませんでしたが、そういえば、さくらが咲いて春が来ると「去年のこの時期は…」と思ったり、暑い夏には「去年の夏は…」とそのときあったことを思い出したりしていました。皆さんはどうですか。「何年前の秋は、大学に入る準備で大変だったな」と、季節と一緒に思い出すことがたくさんあるんじゃないですか。季節があるので生活に変化があると言ったのは、そういうことです。

そのことに気がついてからは、私は、外国の人に「日本の良さは」と聞かれたら、「季節があることです」と答えるようになりました。季節はひとつの例ですが、外国でいつもと違う生活をすると、それまで当たり前すぎて気にもしなかったことに気がつきます。「日本を知るためには、まず海外へ」この言葉は、そういう意味です。皆さんも若いうちに海外へ行って、ぜひ同じような経験をしてみてください。

1. 大学生のときに言われた言葉
   ◆ 学生時代に「日本を知るためには、海外へ行きなさい」と言われたが、どういう意味かよくわからなかった。
   ◆ 今は自分の学生に同じことを伝えている。
2. 留学生活でのこと
   ◆ 留学したのは、はっきりした季節がなく、1年中Tシャツ1まいで生活できるような所だった。
   ◆ 最初はそれをうれしいと思っていたが、だんだん何か足りないと思うようになった。
   ◆ 後になって、その理由は、季節がはっきりしないことが、生活に変化がないことにつながるからだとわかった。
3. 日本に帰ってから気がついたこと
   ◆ 私たちは、昔あったことを季節と一緒に思い出すことがたくさんある。
   ◆ これが、季節があるので生活に変化があるということである。
4. 話している人が伝えたいこと
   ◆ 海外に行くと、それまで当たり前すぎて気にもしなかったことが見えてくる。
   ◆ 皆さんにも、若いうちに海外へ行って、同じような経験をしてほしい。

練習しましょう

I. 1. ①講演 ②依頼 ③頼んだ 2. ④閉じて ⑤留学生 ⑥表情 ⑦願って
   3. ⑧恥ずかしい ⑨独特 4. ⑩ちょしゃ ⑪かさねる ⑫しめくくった
   5. ⑬はくしゅ ⑭なごませる ⑮ほうとう ⑯そえた 6. ⑰つめる ⑱せいけつ
   7. ⑲なにげない ⑳といかけ ㉑かたむけた ㉒だまりこんで

Ⅱ．1．（話）を合わせた　2．調子に（乗り／乗って）　3．（耳）を傾けていた
　　4．（気）がつかなかった　5．（もの）が見える　6．（言って／口にして）しまった

Ⅲ．1．料理（に）は　花（が）添えられて　2．かばん（に）荷物（を）たくさん詰めて
　　3．若者（と）気（が）合って　4．仕事（で）世界中（を）飛び回って
　　5．先生（に）　講演（を）依頼した

Ⅳ．1．場が（和んだ）　2．練習を（重ねて）きた　3．東京の人だと（思い込んでいた）
　　4．（出会った）ことがきっかけで　5．考えても（みなかった）

Ⅴ．1．社長から、4月から部長にすると言われることなど思ってもみなかった。
　　2．ひとりで楽しく生活していた山田さんが、結婚するとれんらくしてくることなど思って
　　　もみなかった。
　　3．夫が急に仕事をやめると言うことなど思ってもみなかった。
　　4．いつも元気な田中さんが、病気で1週間仕事を休むと電話をしてきた。意外なことで驚
　　　いた。
　　　⇒いつも元気な田中さんが、病気で1週間仕事を休むと電話をしてくることなど思って
　　　　もみなかった。
　　5．日本語が上手な学生が、試験の結果が悪く、大学に入れなかったと言ってきた。意外な
　　　ことで驚いた。
　　　⇒日本語が上手な学生が、試験の結果が悪く、大学に入れなかったと言ってくることな
　　　　ど思ってもみなかった。

読んでみましょう

Ⅰ．1．（○）　2．（×）　3．（○）　4．（×）　5．（×）　6．（×）　7．（×）　8．（○）

Ⅱ．1．じしんのような音とともに突然ふり始めたからです。
　　2．人も鳥も動物も、じっと雨がやむのを待つ、静かな雨の風景です。
　　3．フィリピンの雨はじしんのような音がしますが、インドネシアの雨は音がしないことです。
　　4．毎日の生活の中で、すっかり当たり前になってしまっていることを、もう一度考えると言っ
　　　ています。

第16課

聞きましょうA

Ⅰ．1．(c)　2．(b)　3．(b)　4．(c)　5．(c)

A：さち、よそに聞こえるから、①もう少しえんりょして小さな声でって、お父さんに言ってちょ
　　うだい。

B：いやになるな、②おふろに入るといつもこの調子だから。私、さっきからずっと待ってるのに。
A：いいじゃないの。ああして、③お父さんなりのやり方で、今日1日のストレスを忘れてるとこなんでしょ。仕事では大変な立場なんだから。
B：うん。でも、童謡歌うなんて、めずらしいね。④童謡を口にするお父さんの姿って、何となくなじまないんだけど。
A：「よその国」か。夢があっていいじゃない、童謡って。⑤子供のころに見た海が目に浮かぶわ。…いってみたいな　よそのくに…
B：やだ、お母さんまで。子供のときに学校で習ったの、その歌。
A：どうだったかしら。もう忘れてしまったわ。さちはどこで習ったの。
B：お母さんが⑥歌ってくれたんじゃなかったかな。⑦私がなかなか寝ないもんだから。
A：ああ、そうだった。さちが小さいころ、⑧寝る前に歌の本を持ってきては、歌ってってねだってたね。声合わせて⑨毎晩のように歌ったけど、この歌もその中にあったような気がするわ。
B：でも、なんか不思議だな。お母さんと私、⑩年がこんなに違うのに、同じ歌を知ってるでしょ。その歌を聞いて、子供のころの話をしてる。⑪童謡は何か特別な力を持ってるのかな。
A：あら、お父さん、お風呂から出たようよ。
B：じゃ、⑫私もおふろで童謡でも歌おうかな。
A：小さな声でお願いしますよ。

1. 母親は何を心配していますか。
    a. 父親の歌が下手なこと　b. 父親のおふろが長いこと　c. 父親の声が大きいこと
2. 娘は何を待っていますか。
    a. 父親が歌をやめること　b. 父親がおふろから出ること　c. 母親がご飯を作ること
3. 父親がおふろで歌うのはどうしてだと言っていますか。
    a. 童謡を歌って昔を思い出したいから　b. 仕事のストレスを忘れたいから
    c. 歌がじょうずなことを家族に知ってほしいから
4. 母親は童謡について、どう言っていますか。
    a. 父親の歌をほかの人に聞かれたら恥ずかしい
    b. 自分もストレスを忘れるために歌いたい　c. 子供のころの景色を思い出して懐かしい
5. 娘は何が不思議だと言っていますか。
    a. 今でも忘れず、この歌を覚えていること　b. 父親が童謡を歌っていること
    c. 母親も自分も同じ歌を知っていること

聞きましょうB

　海外で長く日本語を教えていた人が、行った所になかなかなじめなくて困っていたとき、何が助けになったのか、若いころの経験を話しています。私も同じような経験をしたという人もいるかもしれません。聞いてみましょう。

　若いころ住んでいた所で、こんなことがありました。日本語を教え始めて3か月も経つのに、なかなかそこでの生活になじめませんでした。自分なりにがんばってはいたけれど、じゅぎょう

も思ったように進みません。それで、休みの日も家の中でひとりですごしがちでした。そんなある日、日本から来ているせんぱいの送別会が行われることになりました。ほかの先生たちや学生がみんな集まってにぎやかにやろうということで、私も行くことになりました。

　おおぜいが集まる場所が苦手な私は、送別会が始まってからも、みんなからは少し離れた所に腰を下ろして、学生が焼いてくれた肉を食べたり、ビールを飲んだりしていました。そのうち、歌おうということになって、みんなが声をそろえて歌い始めました。私は生まれつき、歌がへたで、どうしてもみんなのようには歌えません。それでも、場を白けさせてはいけないと思って、できるだけみんなに声を合わせるようにしていました。

　すると、今度はおどりが始まりました。せんぱいも一緒になって楽しんでいます。人の前でおどったことなどなかったので、どうしたらいいだろうと思って、すわったままでいました。いい考えが浮かばなくて困っているところへ、えんりょがちに来た学生が、一緒におどろうと誘うのです。「どうしても」と私に向けられたみんなの目に耐えかねて、勇気を出して、おどっているみんなの所へ行きました。それからしばらく、お酒の力もあったのでしょう、みんなと一緒に歌い、汗を流しておどりました。

　疲れてすわっていると、せんぱいが来て、「こうしてみんなと気持ちを分かち合う経験も大切だよ。そうすれば学生たちとも早くなじめるし、じゅぎょうもうまくいくから」とはげましてくれました。みんなと歌い、おどれたことと、せんぱいのはげましに力づけられたようで、これからやっていけそうだなと、少し自信が出てきたように思い、忘れられない送別会になりました。

1. 最初の3か月間
   - 生活になじめず、じゅぎょうも思ったように進まなかった。
   - 休みの日も家の中でひとりですごしがちだった。
   - ある日、せんぱいの送別会に行くことになった。
2. 送別会が始まって
   - 人が集まる場所が苦手で、みんなから離れた所にいて、学生が焼いてくれた肉を食べたり、ビールを飲んだりしていた。
   - 歌が始まったが、へたなので、できるだけみんなに声を合わせるようにしていた。
3. おどりが始まって
   - おどりが始まったが、どうしたらいいかわからなかったので、すわっていた。
   - 学生に誘われ、勇気を出して一緒におどった。
4. せんぱいの話
   - せんぱいは「歌ったりおどったりして、みんなと気持ちを分かち合う経験が大切だ。そうすれば、学生たちとも早くなじめるし、じゅぎょうもうまくいくから」とはげましてくれた。
   - 少し自信が出てきて、この送別会は忘れられないものになった。

練習しましょう

Ⅰ．1. ①求めて　②浜　③浮かぶ　2. ④苦手　⑤沈む　⑥描き
　　3. ⑦祝う　⑧参加　4. ⑨想像　⑩耐えられ　⑪勇気
　　5. ⑫そうべつかい　⑬どうよう　⑭がたい
　　6. ⑮さそわれて　⑯つんだり　⑰あみ　⑱ゆめ　7. ⑲たより　⑳ちから

Ⅱ．1. 間が（あった）　2. 汗を（流して）　3. 声を（合わせて）　4. （力）を合わせて
　　5. どうしても（来られない）人　6. （人）それぞれ

Ⅲ．1. 仲間（と）喜び（を）分かち合った　2. 姿（が）頭（に）浮かぶ
　　3. 上司（に）はなじめない　4. 大声（で）「がんばれ」と言うの（に）元気づけられて
　　5. 世界中（を）歩き回った

Ⅳ．1. 親に（気づかれない）ように　（気づかれて）しまった　2. においに（誘われて）
　　3. （決め）かねている　4. 判断（し）難い　5. 一言に（はげまされて）いる

Ⅴ．1. <u>毎日たくさん宿題が出る</u>ものだから、妹は母親の顔を見ては<u>「学校に行きたくない」</u>と言っている。
　　2. <u>仕事をやめて余裕ができた</u>ものだから、父はよく友達を誘っては大好きな歌を歌いに行っている。
　　3. 娘が結婚して家を出てしまったものだから、兄は毎晩お酒を飲んでは娘の話をしている。
　　4. <u>母が入院した</u>ものだから、父は私に電話をかけてきては<u>「さびしい」</u>と言っている。
　　5. <u>突然会社をやめさせられた</u>ものだから、主人は毎週、友達を食事に誘っては<u>「仕事を紹介して」</u>とお願いしている。

読んでみましょう

Ⅰ．1.（×）　2.（○）　3.（○）　4.（×）　5.（○）　6.（×）　7.（○）　8.（○）

Ⅱ．1. だいたい同じような絵になります。
　　2.「今朝、起きてからの30分間の様子を、言葉で正確に説明できますか」という質問をされました。それに対してうまく説明できず、「どうしても思い出せません」と答えました。
　　3. 覚えている場面から、話す人が必要だと思う情報を取り出して伝えることです。
　　4. 聞いた人に場面を伝え、思いを分かち合い、楽しませ、はげます力です。

第17課

聞きましょうA

Ⅰ．1.（c）　2.（b）　3.（c）　4.（b）　5.（a）

A：山田、聞いたよ。男の子だってね。おめでとう。
B：ありがとうございます。ところで、中村さん、お父さん、どうなんですか。①<u>この間、手術するとかしないとか</u>…。
A：うん、医者の話じゃ、②<u>手術しても植物状態になるかもしれない</u>って言うもんだから…。
B：そうなんですか。それは大変ですね。
A：そうなったら、③<u>体にいろんな器具をつけられて、意識もなく、寝たきりの人生ってことだ</u>

ろう。
B：そうですね。
A：そんな姿を見るのがつらいんだよ。たおれるまでは、誰よりも元気だったからな。手も足も自分の意思で動かせず、④自分で飲むことも食べることもできないようでは、生きてるって言えないように思うんだ。
B：でも、お母さんからすると、手術をして、⑤少しでも長生きしてほしいと思ってらっしゃるんじゃないですか。⑥寿命だからと割り切るのは難しいでしょうね。
A：そのことなんだけど、実は、⑦まだ母には医者からの話をしてないんだ。
B：そうですか。⑧お母さんの気持ちがわかるだけに、なかなか言えないですよね。
A：うん。でも、本当のことを言うと、⑨自分としては手術はさせたくないんだ。
B：手術しても、⑩元の健康な生活に戻れないようなら、意味ないですよね。
A：ああ。山田の所に新しい命が生まれて、⑪その一方で、80年生き続けた命が終わろうとしている。山田の子供の話を聞いて、⑫それでいいんじゃないのかなって、そんなふうにも思ってるんだ。じゃあ、ここで…。
B：あ、そうか。病院へ行かれるんでしたね。それじゃ、失礼します。お大事に。

1. 若い男の人には、最近どんなことがありましたか。
　　a. 父親が病気になった　b. 母親が病気になった　c. 子供が生まれた
2. 上司は、父親の手術について医者から何と言われましたか。
　　a. 手術をしたら、元の状態に戻る
　　b. 手術をしても、植物状態になるかもしれない　c. 手術をしても、意味がない
3. 母親は、手術について知っていますか。
　　a. 医者から聞いた　b. 上司から聞いた　c. 何も聞いていない
4. 上司は、手術についてどう思っていますか。
　　a. ぜひ受けさせたい　b. できれば受けさせたくない　c. どちらでもいい
5. 上司は、何について「それでいい」と思っているのですか。
　　a. 人が自然に生まれて死ぬこと　b. 体に器具をつけられて、意識もなく眠ること
　　c. 母親に医者の話を伝えていないこと

🔊 聞きましょうB

　　最近、いろいろな医療問題があって、社会問題になっています。そんな時代に、医療をどう考えているのか、ひとりのお医者さんが自分の考えを話しています。治療を受けるかもしれない私たちにとっても、大きな問題だと思います。聞いて、一緒に考えてみましょう。

　　まあ、医者としてではなく、ひとりの人間としての意見を申し上げますと、最近私は「長さ」と「中身」の問題とでも言いましょうか、そういうことを真剣に考えております。私も長く医者をしておりますので、これまでに患者さんだけでなく、ご家族までが大変苦しまれた例をたくさん見てきました。
　　確かに、医療技術は目覚ましい進歩を遂げてきました。しかし、それでも手術をすればどんな病気でも治せて、元の健康な状態に戻せるわけではないことは、皆様もご存じの通りです。体も

動かせず、いわゆる植物状態で、長く寝たきりで生きざるを得ない。これは患者さんのご家族にとっても、大変なことが少なくないんです。経済的にはもちろん、お世話を続けられている間に、ご家族の方まで病気になることだってあるんですから。そして、最後には、家庭までこわされてしまうようなことがいくらでもあるのです。

「1日でも長く」との思いをかなえる、これは人間としては当然の願いなんですが、治療して意味があるのは、患者さん、そして、ご家族の方の生活がそれまでと同じか、あるいは良くなるときだけではないのだろうかと考えるわけです。患者さんも苦しみ続け、ご家族も犠牲を払わなければならないような状況になってしまうようでは、いかに医療技術が進歩したとしても、本当に意味のある治療になっていないのではないか、私はそう考えるのです。

私が「長さ」と「中身」と申し上げましたのは、こういう理由からなのです。医者として本当にやらなければならないことは、命の「長さ」を考えるのではなく、患者さんやご家族の生活の「中身」、それを変えない治療を考えることじゃないかと思うのです。それで、最近私は、手術をしたり、新しい医療器具を使ったりするときには、ご家族に私個人の、ひとりの人間としての考えを申し上げるようにしています。「長さ」と「中身」の両方を考えた上で、判断していただけるように、ですね。

1. 最近考えていること
    - 「長さ」と「中身」の問題を真剣に考えている。
    - これまで、患者だけでなく、その家族までが苦しんだ例をたくさん見てきた。
2. 現在の医療問題
    - 確かに医療技術は進歩を遂げたが、どんな病気でも治せて、元の健康な状態に戻せるわけではない。
    - 患者が寝たきりになることは、患者の家族にとって大変なことが少なくない。
    - 経済的な問題だけでなく、家族まで病気になることもある。
    - その結果、家庭までこわされてしまうこともある。
3. 話している人の意見
    - 治療して意味があるのは、患者とその家族の生活がそれまでと同じか、良くなるときだけだ。
    - 患者が苦しみ続け、家族も犠牲を払わなければならないようでは、本当に意味のある治療とは言えない。
4. 患者の家族と話すとき
    - 医者として本当にやらなければならないことは、患者やその家族の生活の「中身」を変えない治療を考えることだと思っている。
    - それで、手術をしたり、新しい医療器具を使うときには、「長さ」と「中身」の両方を考えた上で判断してもらえるように、個人としての考えを伝えるようにしている。

✎ 練習しましょう

Ⅰ．1. ①器具　②治せる　③救え　2. ④経済　⑤目覚ましい　⑥伸び　⑦状況
　　3. ⑧戻り　⑨血　⑩看護　4. ⑪かんじゃ　⑫へいきんじゅみょう　⑬あきらか
　　5. ⑭めざして　⑮とげる　⑯くるしい　⑰ぎせい
　　6. ⑱ちりょう　⑲もと　⑳けんこう　㉑じょうたい

Ⅱ．1. 進歩を（遂げて）　2. 血を（分けた）兄弟　3.（夢）をかなえた
　　4.（先）が見えない　5. 犠牲を（払って）まで

Ⅲ．1. 生活（に）様々な変化（を）もたらした　2. 一言（が）、私の心（を）動かした
　　3. 日本語（を）生かした　4. 助け（を）借りて　勇気（が）生まれた
　　5. 日本語（に）　伸び（が）見られる

Ⅳ．1.（割り切って）やる　2. 言葉に（救われた）　3.（問われて）いる
　　4.（助からない）に違いない　5. ゆうしょうを（目指して）いた

Ⅴ．1. 自由で平等な人間関係が大切だと言われるが、年上の人たちからすると、そう言われてもタテ社会が持っていた役割を無視するわけにはいかないと思う。
　　2. 役に立たない物はすぐにすてるべきだと言われるが、物がない時代に育った人たちからすると、そう言われても何でも簡単にすてるわけにはいかないと思う。
　　3. 小学校から英語を学んでも意味がないと言われるが、子供のときから英語を学んで話せるようになった人たちからすると、そう言われても納得するわけにはいかないと思う。
　　4. 外国で子供を育てるとき、両親の文化や言葉は教えなくても良いと言われるが、自分の育った所の文化や言葉を知ってほしいと願う親たちからすると、そう言われても納得するわけにはいかないと思う。
　　5. 大学を卒業した後、アルバイトで生活することも、その人の生き方だと言われるが、経済的に困らない生活をしてほしいと願う親たちからすると、そう言われても納得するわけにはいかないと思う。

読んでみましょう

Ⅰ．1.（○）　2.（×）　3.（○）　4.（○）　5.（×）　6.（○）　7.（×）　8.（○）

Ⅱ．1. 遠い先の話で、自分の人生にはあまり重要な問題ではないと思っていました。
　　2. 子供が長生きできず、火事や台風などで多くの犠牲者が出るような、自分や家族がいつ死ぬかわからない時代です。
　　3. 今とは別の、次の世界に行くことでした。
　　4.「死ぬこと」を真剣に考えることが、かけがえのない今の命を大切にして「生きること」につながるのではないかと問いかけられています。

第18課

聞きましょうA

Ⅰ．1.（a）　2.（b）　3.（c）　4.（c）　5.（c）

A：ねえ、山口さんはお子さん、どこの学校に通わせるか決めた。

B：うん、できれば①家から一番近い学校に行かせたいと思ってたんだけど、ひとつ問題があって…。②今年から1年生はクラスがひとつなのよ。
A：ひとつだけ。最近は、③近所で遊ぶ子供の姿も少なくなってきて、さびしいなあって思ってたんだけど…。
B：どこも同じなんでしょ、少子化。
A：その影響なのね。でも、子供が少ないほうが、先生は④ひとりひとりよく見てくれるようになるし、親としては安心できていいんじゃないの。
B：確かにそうだけど、先のことを考えるとね。卒業しても、このままでは、中学もひとつしかクラスができないそうなの。小学校や中学って、勉強もだけど、⑤いろいろなタイプの子供と出会うってことも大切でしょ。
A：それはそうね。でも、この間新聞にね、⑥少子化の影響で子供が減り続けていて、全部で30人くらいしかいない学校も増えているし、日本全体を見ても、⑦学校の数も減ってきているって書いてあったけど。
B：え、そうなの。⑧少子化の波はいろんな所に押し寄せているってことね。じゅんのことを考えて、⑨少し離れた地域にある学校に行かせようかと思ってたけど、それじゃ、どこへ行っても同じことね。
A：離れた地域の学校って、ここを離れるってこと。
B：主人ともそうだんしてね、⑩家の近くの学校に通わせたばかりに、後で「やめとけば良かった」なんて思いたくないから、そう考えてたの。
A：事情はよくわかるけど。⑪山口さんのようにこの地域を離れる家族が増えたら、最後には、⑫この辺りは人が少なくなって、学校もなくなってしまうわね。

1. ふたりは何について話していますか。
   a. 子供の学校のこと　b. 学校の先生のこと　c. 家族のこれからのこと
2. 子供の母親の家から一番近い小学校は、どんな学校ですか。
   a. 1年生のクラスがない学校　b. 1年生のクラスがひとつしかない学校
   c. 30人しかいない学校
3. その小学校について、母親が心配しているのはどんなことですか。
   a. 先生が子供たちひとりひとりを見られないこと
   b. この地域を離れなければならないこと
   c. いろいろな子供たちと出会う機会が少なくなること
4. 新聞には、どのようなことが書いてありましたか。
   a. 都会では、あまり少子化の影響がないということ
   b. 少子化に対して、地域で様々な対策が始められているということ
   c. 少子化で、生徒の少ない学校が増え、学校の数も減っていること
5. 離れた小学校へ行かせるという考えを聞いて、もうひとりの女の人はどう思いましたか。
   a. 事情が理解できるので、いい考えだと思った
   b. ご主人とよくそうだんして決めるべきだと思った
   c. 将来、近くにある小学校がなくなってしまうのではと思った

🔊 **聞きましょうB**

少子高齢化が進むと、近所で子供たちの声がしなくなったり、若者の姿が減ります。そして、町全体で住んでいる人の数が少なくなり、それまでは想像もしていなかった問題が出てきます。町の人たちの集まりで、そんな問題が話し合われています。将来の私たちの問題だと思います。聞いてみましょう。

　この地域の様々な問題を話し合う時間が必要ではないかというご意見があり、今日、このような機会を作りました。皆さんのご近所にもあるかもしれませんが、誰も住んでいない家がそのままの状態で残されており、最近、それがゴミの問題や事故などにつながるという例がいくつかありました。けいさつのほうからも、同じようなことがいろいろな場所で起きているので、地域の安全に気をつけるようにとのれんらくがありました。

　10年ほど前から、「誰も住んでいない家の前にゴミがすてられている」とか、「窓ガラスが割られている」という声はありました。でも当時は、そのようなことは少なかったし、それほど大きな問題になるとは考えておりませんでした。しかし、今、以前からあった誰も住んでいない家の中には、たおれる恐れのある物もあり、いつ事故が起きても不思議ではないような状態になっています。

　そればかりではありません。新しく入ってくる家族もほとんどなく、この地域に住む人の数もだんだん減っています。ここで生活する私たちも、年齢が高い者が増え、私たちの地域にも例外なく少子高齢化の波が押し寄せて、その影響を受けているというのが現状です。しかし、私たちはこれからも生活を続けるのですから、このままにしておくわけにはいきません。先のことを考えて、今、どんな手が打てるのか、今日は皆様とごそうだんしたいと思い、お集まりいただきました。

　国や自治体も様々な支援に力を入れているとは聞いていますが、時間がかかると思います。まず、私たちが自分たちで、手遅れになる前に、何ができるのか、考えていく必要があると思います。そうしないことには、現状が悪くなることはあっても、良くはならないと思います。そんな事情ですから、安全な地域を作り、安心して生活するために、みんなで知恵を集めて、力を合わせる。今日の集まりが、その第一歩だと考えております。

1. 話し合うことになった理由
   - この日は地域の様々な問題を話し合うために集まった。
   - 最近は誰も住んでいない家のことが問題になっている。
   - けいさつからも、地域の安全に気をつけるようにとのれんらくがあった。
2. 今の地域の問題
   - 10年ほど前から、「誰も住んでいない家の前にゴミがすてられている」「窓ガラスが割られている」という声が出ていたが、大きな問題になるとは考えていなかった。
   - しかし、今はたおれる恐れのある物もあり、いつ事故が起きても不思議ではない状態だ。
3. 地域の現状
   - 新しく入ってくる家族もほとんどなく、この地域に住む人の数も減っている。
   - 年齢が高い者が増え、少子高齢化の波が押し寄せているのが現状だ。

4. この地域のこれからについて
    - 国や自治体も支援に力を入れているが、時間がかかる。
    - まず、自分たちで、手遅れになる前に何ができるのかを考える必要がある。
    - 安全な地域を作り、安心して生活するために、この集まりが、みんなで知恵を集めて、力を合わせる第一歩になれば良い。

練習しましょう

Ⅰ．1. ①政府　②減り　③現状　④調査　2. ⑤手遅れ　⑥根づく　⑦促す
　　3. ⑧片とき　⑨お年寄り　⑩押して　4. ⑪かそか　⑫ちいき　⑬でんとう　⑭まつり
　　5. ⑮しょうらい　⑯ぎょそん　⑰ちず　6. ⑱しゅうしょく　⑲しえん
　　7. ⑳いきおい　㉑なみ　㉒そまった　㉓けす

Ⅱ．1. 口を（開こう／利こう）ともしない　2. 口が（重い）
　　3. 夢を（持って／かなえるため／かなえようと）　4. （姿）を消した　5. （足）を運んだ
　　6. ぽつりと（言った）

Ⅲ．1. 手（を）打たなければ、日本の社会（に）は男女平等の意識がなかなか根づかない
　　2. 日本（で）看護の仕事をする　漢字（に）苦しんで　3. 海外（で）の生活（に）あこがれて
　　4. 波（が）海岸（に）押し寄せて　5. 支援（に）力（を）入れる

Ⅳ．1. 手伝えと（呼び戻された）　2. 体験（してもらおう）と
　　3. 拍手に（促されて）　4. 勢いに（乗って）　5. （知らない）ままでいた

Ⅴ．1. もうこの店で食べることができないかと思うと、本当に残念だ。
　　2. 会えるのはこれが最後になるのではないかと思うと、なかなかわかれ難い。
　　3. もうこの学校でじゅぎょうを受けることができないかと思うと、さびしくてならない。
　　4. もう妻はここにはいないのかと思うと、泣きたくてたまらなくなる。
　　5. 自分が生まれて育った家がなくなるかと思うと、子供のころの思い出がなくなるようでさびしい。

読んでみましょう

Ⅰ．1.（○）　2.（×）　3.（○）　4.（×）　5.（×）　6.（×）　7.（○）　8.（×）

Ⅱ．1. 都会からおおぜいの人がやって来る楽しい場所、「みんなのふるさと」を作って、地域の活性化を目指そうという運動です。
　　2. 古くなった建物を使って、昔の農村の生活を見せる場所を作ろうと考えていました。
　　3. 人形ではなく自分たちが昔の服を身につけて、建物に来た人たちに自分たちの経験を話すのはどうかという意見が出ました。また、地域で昔から作られているやさいを使って伝統料理を出すレストランをやってみてはどうだろうと言う女性や、おみやげを売る店を作りたいと言うグループも出てきました。

4. 地域のお年寄りや若い人がひとつになって、村全体の生活に勢いが出てきたことによって、本当に「みんなのふるさと」になったことです。

第19課

🔊 聞きましょうA

Ⅰ．1.（a）　2.（b）　3.（b）　4.（c）　5.（b）

A：なあ、田中。さっき、小さい子供のいる母親にお金をあげてただろう。
B：ああ、①本当に貧しそうで、真剣な顔で訴えていたからな。胸が痛んだよ。
A：あれは良くないと思うんだ。
B：え、困っている人のために②手を差し伸べることの、何が悪いって言うんだよ。
A：あの母親はたぶん、田中が日本人だから、お金がもらえると思ったんだよ。
B：まあ、そうかもしれないけど、子供もいたし。鈴木は何が言いたいんだよ。
A：③日本人はみんな金持ちで、物質的に恵まれた生活をしていると思われてるんだろう。きっとあの母親には、④人間ではなくお金が歩いているように見えたんだよ。
B：そんなことはないだろう。考えすぎだよ。⑤もっと素直に考えられないものかな。
A：⑥お金さえ与えれば、貧しい環境から抜け出せるというわけでもないしな。これは、⑦ここの政治や教育の問題で、外国人には関係のないことだよ。
B：でも、少しのお金で、⑧今日1日だけでも楽しい気持ちになって笑顔でいてくれたら、こっちもうれしいじゃないか。
A：⑨それこそ自己満足だろう。田中の親切は自己満足の裏返しだよ。だいたい、あの母親はまだ若いんだから、働けるはずだろう。
B：きっと、⑩ほかに身内もいないんだろうし。日本もそうだけど、ひとりで子供を育てている母親は、本当に大変なんだ。そう簡単に仕事も見つけられないだろうし。
A：じゃ、⑪お金を恵んでもらって生きていくよりほかはないということか。
B：⑫そうは言わないけど、自分も何かできないかなと思って、お金出したんだけどな…。

1. ふたりは何の話をしていますか。
   a. 貧しい人にお金をあげるのはどうかという話
   b. 日本人にお金持ちが多いという話　c. 子供を持つ母親がどんなに大変かという話
2. ふたりはどんな人に出会いましたか。
   a. たくさんお金を持って歩いている日本人　b. 小さい子供のいる若い母親
   c. 貧しい地域を旅行している若者
3. ふたりは出会った人からどう見られていると思っていますか。
   a. 困っている人を助ける親切な人たち　b. 物質的に恵まれた生活をしている人たち
   c. 政治や教育の問題を考えてくれる人たち
4. ひとりの男の人は、出会った人に何をしましたか。
   a. 真剣な顔で訴えた　b. 関係がないと無視した　c. 少しお金をあげた
5. それについて、もうひとりの男の人はどう思っていますか。

a. 困っている人には手を差し伸べるべきだ
b. 貧しい環境から抜け出せるわけではない　c. 自分も何かできないものだろうか

🔊 聞きましょうB

仲間と一緒に貧しい地域の支援を続ける人が話しています。最近は、外からいくら経済的な支援をしても、その地域の人たちが自分たちの問題として考え、何かを始めるのでなければ、地域に根づく、意味のある支援にはならないという考え方があります。聞いて、一緒に考えてみましょう。

仲間のひとりが「向こうへ行って、リンゴでも作ってみるか」と言ったことがきっかけで、お金を送りさえすればすむと簡単に考えていた私たちの支援運動が、大きく変わりました。私たちの地方はリンゴで有名だったことから、リンゴになったわけですが、それまでも交流を続けていた海外の村へ行き、リンゴ作りの話をしました。村の人たちは、「何を突然」というふうで、不思議そうな顔をして聞いていました。

何とかリンゴができないものかと、2年、3年と続けているうちに、村の人たちが手を差し伸べ、一緒に汗を流してくれるようになりました。結果としては、リンゴはうまく育たなかったのですが、村の人たちからいろいろな意見が出されて、季節に合わせていくつかのくだものが育つようになりました。そして、村に少しお金が入るようにもなりました。村の人たちと追ってきた夢が、やっと少しだけ実現したのです。

くだもの作りを続けているうちに、それまでは仕事を探して村を離れていた若者たちが、ひとり、ふたりと村に残り、くだもの作りに参加し始めるようになりました。その若者たちが「くだものをジュースにすれば」とか「工場を作れば、寒いときでも、そこで仕事ができる」と、笑顔で話し合うようになりました。そして、計画では、もう2年ばかりで、そのジュース工場ができます。くだもの作りと一緒に育った次の夢がかなうところまで来たのです。

工場で働きたいと言う子供たちも出てきました。「次は、学校や病院などの施設を」と、目を輝かせて熱心に夢を語り合う人たちもいます。具体的に可能かどうかはともかく、貧しさから抜け出すためには、自分たちが努力するよりほかはないという考えが村の人たちに根づいたようです。私たちも、夢を共有することで、「豊かになる」というのがどういうことか、自分たちの問題として考え、支援運動を続けることになりました。

1. 村への支援
   - 仲間のひとりが「向こうへ行って、リンゴでも作ってみるか」と言ったことがきっかけで、支援運動が変わった。
   - 支援している村へ行って、話をしたが、村の人たちは不思議そうな顔をしていた。
2. 村の変化と夢の実現
   - 2年、3年と続けているうちに、村の人たちが手を差し伸べ、一緒に汗を流してくれるようになった。
   - リンゴは育たなかったが、村の人からいろいろな意見が出されて、季節に合わせていくつかのくだものが育つようになった。
   - そして、村に少しお金が入るようになった。

3. 次の夢
- それから、村を離れていた若者たちが村に残り、くだもの作りに参加し始めるようになった。
- 「くだものをジュースにすれば」とか「工場を作れば、寒いときでも、仕事ができる」と話し合うようになった。
- あと２年ぐらいでジュース工場ができる。
4. 新しい夢と村に根づいた考え
- 貧しさから抜け出すためには、自分たちが努力するよりほかはないという考えが村の人に根づいた。
- 話している人たちも、「豊かになる」というのがどういうことか、自分たちの問題として考えるようになり、支援を続けることになった。

練習しましょう

Ⅰ．1. ①質問 ②貧しい ③恵まれ ④未来 2. ⑤豊か ⑥素直 ⑦熱心
3. ⑧連絡 ⑨差し上げる ⑩可能性
4. ⑪かんきょう ⑫けいかく ⑬せいじか ⑭うったえた
5. ⑮みうち ⑯きょういく ⑰まんぞく ⑱えがお
6. ⑲うら ⑳みたさ ㉑こうりゅう ㉒しせつ
7. ㉓せんたくし ㉔かがやかせて ㉕むね ㉖かくして

Ⅱ．1. 目に（して） 2. 夢を（追う） 3. 連絡を（受けて）
4.（手）を差し伸べる 5.（胸）が痛む 6.（やって）みましょう

Ⅲ．1. 体験（を） 私たち（に）語ろう
2. 子供たち（と）日本語（で）交流できたこと（に）満足して
3. 友達（と）夢（を）語り合った 4. 見えない所（で）努力して 伸び（に）
5. 講演会（で） 豊かさばかり（を）求めてきた日本のあり方（を） 会場の人（に）

Ⅳ．1. 裏に（隠された） 2.（恵まれた）環境 （満たされ）ない 3.（働き）づめ
4. 教育を（受けない） 生活から（抜け出す） 5.（かなわない）夢を（追って）いる

Ⅴ．1. このような貧しい環境では、多くの人が大学に行くことは、まず考えられないだろう。
2. 今のような働きづめの生活では、主人が子供と遊びに出かけることは、まず実現しないだろう。
3. 台風が来ている状況では、子供があした公園へ行くことは、まず無理だろう。
4. 今の体の状態では、夫が来週から仕事を始めることは、まず無理だろう。
5. 今の日本の経済状況や娘の年齢では、娘が違う仕事をすることは、まず難しいだろう。

読んでみましょう

Ⅰ．1.（×） 2.（○） 3.（○） 4.（×） 5.（×） 6.（○） 7.（×） 8.（×）

Ⅱ. 1. 何かが足りないと言うわけではありませんが、満足していません。
2. 亡くなるまで貧しい人とともに生きた人です。また、貧しい地域を支援しているグループの人たちに対して話をしました。
3. 周りの誰からも必要とされていないと感じることだと言っています。
4. 本当の貧しさをなくすためには、問題を共有し、お互いに力を合わせることが必要だということです。

第20課

聞きましょうA

Ⅰ. 1.（c） 2.（b） 3.（a） 4.（c） 5.（c）

A：で、どうして見習いになろうと思うんだい。
B：去年まで、カナダのすし屋で働いていたんです。①働き始めてすぐに、お客さんの前に立って、すしを握れと言うような店でした。
A：そりゃ、日本人がお客さんから見えるほうが、②店にとっちゃ具合がいいんだろう。
B：そうなんです。③店の看板として雇われたようなもので、だんだんいやになってきました。
A：でも、握ってたんだろう、すし。
B：握るって言うか…、④切った魚やすし用に握ったご飯が目の前に置いてあって、それを集めてさらに並べる、誰にだってできる仕事でした。
A：日本だってそうだよ。ご飯をたいて、⑤そこそこの味をつけたご飯をすし用に握ってくれる機械まであるって聞いたけど。⑥「ちょうどいい固さのご飯をたくのには、火の加減が難しい。こつを覚えるには１年かかる」なんて、今じゃ、⑦頭の固い職人しか言わないよ。
B：ええ。でも、自分は、⑧どうすればお客さんが喜んでくれるかなと、あれやこれや考えて料理を作る。おいしいと言ってもらって、もっと工夫をして料理を出す。そんな仕事がしたいんです。
A：そうだな。すしに限らず、⑨ものづくりの喜びってのはそういうことだもんな。
B：米もちゃんと研げないし、魚も選べない。そんなこともできないで、⑩胸を張って出せる料理はできない。そう思って、お願いに来たんです。
A：事情はわかった。けど、本当にいいのかい。見習い中は、あまりお金は出せないよ。⑪見どころがないと思ったら、やめてもらうことになるよ。
B：はい、⑫ものにならないようならそう言ってください。自分に力がなければ、仕方のないことですから。

1. 若者は去年までどんな店で働いていましたか。
    a. 厳しくて、なかなか包丁を握らせてくれない店
    b. 職人ではなく機械がすしを握る店 c. 誰にでもできるようなすしをお客さんに出す店
2. 若者は何がいやになってその店をやめたのですか。
    a. せっかくの自分の技術が必要とされなかったこと
    b. 日本人であるというだけで、お客さんの前に立たされたこと

c. カナダでの生活に慣れなかったこと
3. ものづくりの喜びとは、どういうことですか。
   a. お客さんに喜んでもらうために、工夫をくりかえすこと
   b. 工夫をこらすことで、職人のわざを身につけること
   c. 昔の職人の様子をよく見て、職人のこつを覚えること
4. 若者が見習いをさせてほしいとお願いしたのは、どうしてですか。
   a. このすし屋が有名だから　b. 見習いでもお金がもらえるから
   c. 胸を張って出せる料理を作りたいから
5. 若者は見習いをすることについて、どう思っていますか。
   a. 見習い中でも、もう少しお金がほしい　b. ものになるまでずっと見習いをさせてほしい
   c. ものにならないのなら、やめさせられても仕方がない

聞きましょうB

　日本の伝統的なものづくりの技術は、いろいろな所で教えられています。「日本の伝統的な」と言いましたが、ものづくりの「技術」は「伝統的」かもしれませんが、ものづくりの「心」は、人間が共有する知恵、文化ではないでしょうか。ものづくりを教える学校の関係者の話です。聞いて、一緒に考えてみましょう。

　この施設を作ってまだ5年ですが、その割に、広く知られるようになったのは、ここで教える先生たちが、日本のお家芸と呼ばれる伝統的なわざにかけては、誰にも引けを取らないという人たちだからだと思います。日本各地に限らず、外国からもおおぜいの若い人たちが集まっているのも、それが理由です。
　実は、学校を始めるにあたって、外国から学生を受け入れることについては、時間をかけたやり取りがありました。すんなり決まったわけではありません。「日本文化を知らなければとても無理だ」とか、「そこそこ学んでくれればいい」とか、「認める条件を、10年以上日本に住んでいることとしよう」と、あれやこれや意見が出ました。しかし、これからお話ししますが、それが頭の固い人間の意味のないやり取りだったと、外国から来た若い人たちに教えられました。
　染物の時間でのことです。みんな熱心に先生の話を聞いているときに、じゅぎょうで使う草木や花を、何度も触り、時には、ちょっとなめてみたりしている外国の若者がいました。聞いてみると、父親が染物職人で、子供のころから手触りや味で、どの植物を使えばどんな色合いが出せるのか教えられてきたというのです。大工技術の時間には、小さな物を作って出す宿題をするのに、長く伝えられている自分の文化独特のデザインを参考にしていいかと許可を得に来た若者がいました。
　こんな経験を重ねて、私たちが学んだことは、外国の学生たちと「ものづくり文化」を共有しているということでした。ヒトが生きるために、長い時間をかけて身につけた技術、様々な工夫をこらして生み出したわざ、それを伝え続ける「ものづくり文化」は、話す言葉や食べる物、生活の仕方は違っていても、みんなが共有しているのです。一緒にものづくりを学びながら、この共有文化をどのように育て、次の時代に伝えるかを考えることが、私たちの学校が目指すことだと教えられました。

1. この学校について
   ◆ できてからまだ5年だが、その割に広く知られるようになった。
   ◆ ここで教える先生たちは、伝統的なわざにかけては、誰にも引けを取らない。
   ◆ それで、日本各地に限らず、外国からもおおぜいの若い人たちが集まる。
2. 外国からの学生の受け入れ
   ◆ 「日本文化を知らなければ無理だ」「そこそこ学んでくれればいい」などという意見が出た。
   ◆ しかし、それは頭の固い人間の意味のないやり取りだった。
3. 外国から来た若者
   ◆ 染物に使う草木や花を何度も触り、ちょっとなめてみたりしている学生がいた。
   ◆ 親が染物職人で、手触りや味で、どの植物を使えば、どんな色合いが出せるのかを教えられてきた。
   ◆ 大工技術の時間には、宿題をするのに、長く伝えられている自分の文化独特のデザインを参考にしてもいいかと許可を得に来る学生がいた。
4. この施設を始めた人たちが学んだこと
   ◆ 話す言葉や食べる物、生活の仕方は違っても、「ものづくり文化」を共有している。
   ◆ 一緒にものづくりを学びながら、共有文化をどのように育て、次の時代に伝えるかを考えることが、この学校が目指すことだ。

練習しましょう

Ⅰ．1. ①舌　②固い　2. ③義務　④雇おう　⑤限られて　⑥条件
　　3. ⑦営んで　⑧過ぎた　⑨張って　⑩握れる
　　4. ⑪うすく　⑫かげん　⑬やわらかく　⑭おおさわぎ
　　5. ⑮ほうちょう　⑯は　⑰とぎ　⑱けずったり
　　6. ⑲おいえげい　⑳そめもの　㉑くふう　㉒みとめる
　　7. ㉓てぶくろ　㉔さわったり　㉕まないた　㉖えいせい

Ⅱ．1. 見どころが（ある）　2. 仕方が（ない）　3. （胸）を張って
　　4. （工夫）をこらした　5. （頭）が固く　6. （話せる／できる）ようになった

Ⅲ．1. 新しい人（を）雇う　目（が）回る　2. 命（を）削る　音楽（を）生み出して
　　3. 包丁（を）研ぐこと（に）かけては　誰（に）も引け（を）取らない
　　4. 料理人（に）は　衛生管理（が）義務づけられて　5. 閉め方（に）　こつ（が）ある

Ⅳ．1. （みがき）上げられた　2. 習うより（慣れろ）　3. （認める）わけにはいかない
　　4. 魚が（触れない）ようでは　5. ものに（ならなけれ）ば

Ⅴ．1. 伝統的な技術は、せんぱいを見て覚えるのでなければ、身につかない。
　　2. 自分の気持ちは、相手に会って伝えるのでなければ、伝わらない。
　　3. 友達へのプレゼントは、自分で店に行って選ぶのでなければ、喜んでもらえない。
　　4. 夏休みの旅行先は、旅行会社で説明を聞いて選ぶのでなければ、決められない。

5. 旅行先のホテルは、よく調べて決めるのでなければ、安心できない。

読んでみましょう

Ⅰ．1.（○） 2.（×） 3.（○） 4.（×） 5.（×） 6.（○） 7.（○） 8.（×）

Ⅱ．1. おじいちゃんの手伝いをしています。
   2. 小さな船を作っています。
   3. 教えられた技術がそこそこ身についていることです。
   4. 村の生活をみんなの手で守り、続けていくのだとの思いとともに、自ら身につけた昔からの生活の知恵と、長く伝えられてきたものづくりのわざを伝えます。